JUNIOR to YOUTH
●ジュニアからユースまで●

サッカーの ゴールキーパー育成法

技術・戦術と年代別練習プログラム

GoalKeeper

ペーター・グライバー／ロバート・フライス［著］

加藤好男［監訳］　今井純子［訳］

大修館書店

GEHALTEN!
Handbuch für das Torwarttraining in allen Jugendklassen
von Peter Greiber und Robert Freis

Copyright © by Philippka-Sportverlag, 2001
Philippka-Sportverlag,
D-48061 Münster, Germany
by arrangement through The Sakai Agency, Tokyo

Taishukan Publishing Co., Ltd.
Tokyo, Japan, 2005

監訳にあたって

（財）日本サッカー協会
ゴールキーパープロジェクト・チーフ

加藤好男

　2006年にワールドカップがドイツで、しかも二度目、32年ぶりに開催されます。前回（1974年）、旧西ドイツで開催されたとき、決勝は地元の西ドイツ対オランダとなりました。開始早々から激しい攻防の展開となり、PKによる得点などで試合が白熱しました。その結果、優勝を勝ち取ったのは開催国の西ドイツでした。当時の西ドイツ代表には、ベッケンバウアーやゲルトミューラーといったスーパースターがいましたが、彼らと同様に、西ドイツのゴールを守り続けたゴールキーパー（以下GK）のゼップマイヤーもまた、当時高校生だった私にとって憧れの選手でした。

　その後の旧西ドイツ、現在のドイツチームのGKは、常に私の目標であり手本でもありました。シューマッハ、イルクナー、ケプケといった歴代の代表選手や2002年日本で開催されたワールドカップで、GKとしてはワールドカップ史上初の最優秀選手に選出されたオリバー・カーンらが、その対象となる選手達でした。

　こうした歴史から振り返って、常に世界的にも優秀なGKを輩出してきたドイツという国のサッカー事情、GKに対する考え方や育成法など、私には大変参考になり、学ぶべきものがたくさんありました。今回、監訳してご紹介したこの本の中にもその一端が述べてあり、多くのことを読み取れると思います。

　わが国では、1998年8月、（財）日本サッカー協会技術部の中にGKプロジェクトなる組織を立ち上げました。その最大の目的は、日本のGK及びGKコーチの発掘、育成、強化です。Jリーグというプロサッカーがスタートしてから5年、GK部門において更なる飛躍と発展を目指すため、多くの関係者に協力して頂き、現状の調査や分析、方向性の確認、強化プランニング作成などを行ってきました。

　そんな折、各国のGK育成法から多くの知識やヒントを学び得ました。この本の中にある年代別のトレーニングや指導法、そして多くのトレーニングメニューは、正に我々が進めている方向性にマッチしています。

　本書は、実際にGKをやっている選手はもとより、GKの指導者にも、また、GK専門の指導者がいないチームにおいても生かせるものだと確信しています。選手が段階的に少しずつ学ぶと同様、我々指導者もまた、選手のレベル向上と共に多くのフィードバックを選手から得て、指導の向上に役立てたいものです。

2005年9月

CONTENTS

第1章　ゴールキーパー・トレーニング ――――― 8

- ■ゴールキーパー・トレーニングの重要性 ――――― 8
- ■方法上のアドバイス ――――― 12
- ■メモ ――――― 13

第2章　ゴールキーパー・テクニック ――――― 16

- ■若手ゴールキーパーの育成法 ――――― 16
- ■基本の構え ――――― 18
  - シュートに対する基本の構え ――― 18
  - クロスに対する基本の構え ――― 18
- ■グラウンダーのボール ――――― 20
  - 正面およびサイドでのキャッチ ――― 20
  - フォーリング、サイドのローリング ――― 20
- ■ライナー ――――― 22
  - 正面のキャッチ ――― 22
  - ダイビングとサイドのローリング ――― 22
- ■ハイボール ――――― 24
  - 正面のキャッチ ――― 24
  - クロスのボールのキャッチ ――― 24
- ■ディフレクティング ――――― 26
  - グラウンダー、ライナーのボール ――― 26
  - ハイボールのディフレクティング ――― 26
- ■フィスティング／プレーの組み立て（フィード） ――――― 28
  - ハイボールのフィスティング ――― 28
  - アンダーハンドスロー ――― 28
  - オーバーハンドスロー ――― 30
  - キック ――― 30

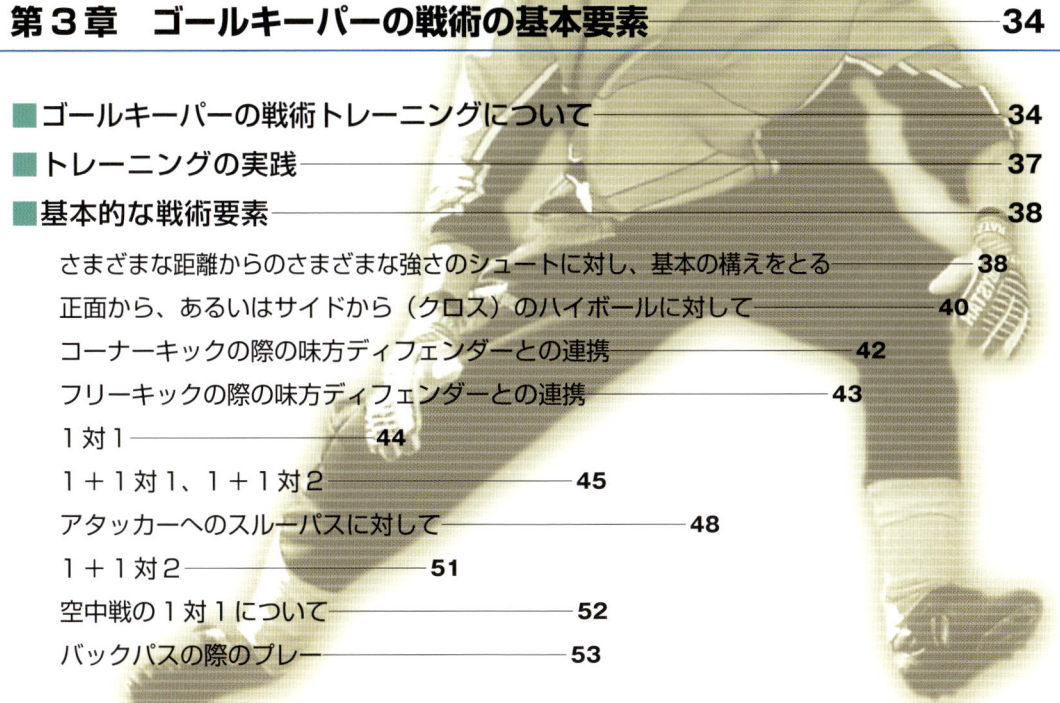

　　ボレーキック ——————— 32
　　ドロップキック ——————— 32

第3章　ゴールキーパーの戦術の基本要素 ——————— 34

■ ゴールキーパーの戦術トレーニングについて ——————— 34
■ トレーニングの実践 ——————— 37
■ 基本的な戦術要素 ——————— 38
　　さまざまな距離からのさまざまな強さのシュートに対し、基本の構えをとる ——————— 38
　　正面から、あるいはサイドから（クロス）のハイボールに対して ——————— 40
　　コーナーキックの際の味方ディフェンダーとの連携 ——————— 42
　　フリーキックの際の味方ディフェンダーとの連携 ——————— 43
　　1対1 ——————— 44
　　1＋1対1、1＋1対2 ——————— 45
　　アタッカーへのスルーパスに対して ——————— 48
　　1＋1対2 ——————— 51
　　空中戦の1対1について ——————— 52
　　バックパスの際のプレー ——————— 53

第4章　U-10（8-10歳） ——————— 70

■ 基礎としてのボール扱い ——————— 70
　　U-10（8-10歳）は、ゴールキーパーのポジションの香りを感じる年代 ——————— 70
■ U-10のトレーニングの基本原則 ——————— 71
　　多面的なスポーツ経験を積ませる ——————— 71
■ ゴールキーパーのプレーへの導入 ——————— 72
　　コーディネーションの習得と動きづくり ——————— 72

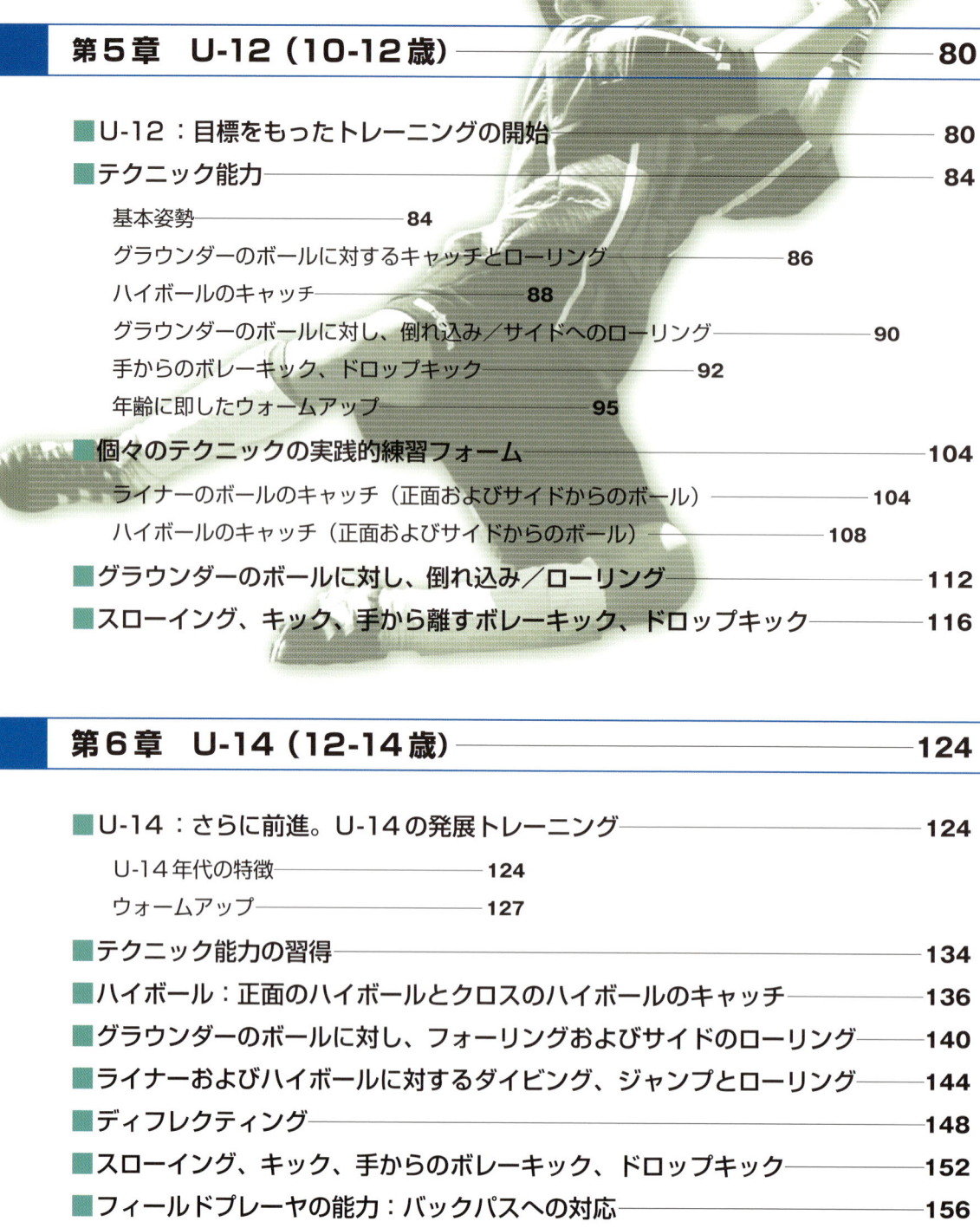

第5章　U-12（10-12歳） — 80

- ■U-12：目標をもったトレーニングの開始 — 80
- ■テクニック能力 — 84
  - 基本姿勢 — 84
  - グラウンダーのボールに対するキャッチとローリング — 86
  - ハイボールのキャッチ — 88
  - グラウンダーのボールに対し、倒れ込み／サイドへのローリング — 90
  - 手からのボレーキック、ドロップキック — 92
  - 年齢に即したウォームアップ — 95
- ■個々のテクニックの実践的練習フォーム — 104
  - ライナーのボールのキャッチ（正面およびサイドからのボール） — 104
  - ハイボールのキャッチ（正面およびサイドからのボール） — 108
- ■グラウンダーのボールに対し、倒れ込み／ローリング — 112
- ■スローイング、キック、手から離すボレーキック、ドロップキック — 116

第6章　U-14（12-14歳） — 124

- ■U-14：さらに前進。U-14の発展トレーニング — 124
  - U-14年代の特徴 — 124
  - ウォームアップ — 127
- ■テクニック能力の習得 — 134
- ■ハイボール：正面のハイボールとクロスのハイボールのキャッチ — 136
- ■グラウンダーのボールに対し、フォーリングおよびサイドのローリング — 140
- ■ライナーおよびハイボールに対するダイビング、ジャンプとローリング — 144
- ■ディフレクティング — 148
- ■スローイング、キック、手からのボレーキック、ドロップキック — 152
- ■フィールドプレーヤの能力：バックパスへの対応 — 156

CONTENTS

第7章　U-16（14-16歳）、U-18（16-18歳) —— 162

- ■最後の仕上げ：U-16、U-18の競技トレーニング —— 162
- ■ゴールキーパー・テクニック —— 171
  - ゲーム形式と練習形式 —— 171
- ■正面のキャッチ、ハイクロスのキャッチ —— 172
- ■グラウンダーのボールに対するフォーリングとサイドのローリング —— 176
- ■グラウンダー、ライナー、ハイボールに対するダイビング、ジャンプ、およびサイドのローリング —— 180
- ■ハイボールへのダイビング、ディフレクティング、後方へのフォーリング —— 184
- ■ジャンプしながらのディフレクティング（フィスティング）・テクニック —— 188
- ■スローイング、キック、ボレーキック、ドロップキック —— 192
- ■トレーニング・セッション例 —— 196

第8章　トレーニング用具 —— 200

- ■リバウンドネットを用いた練習フォーム —— 200
- ■ゴールキーパー・テクニックの練習フォーム —— 203

- ■日本のGK育成養成プロジェクト —— 206

CHAPTER 1 ゴールキーパー・トレーニング

ゴールキーパー・トレーニングの重要性

　サッカーにおけるゴールキーパーの役割と重要性は、決して軽視できるものではありません。ゴールキーパーのパフォーマンスによって、試合の勝敗が決まってしまうことがしばしばあります。

　それにもかかわらず、アマチュアやユースの日常のトレーニングにおいては、ゴールキーパーはたいていの場合、まるで影のような存在になっています。それでも、ゴールキーパーのポジションには、部分的に、フィールドプレーヤーとは全く別のトレーニングが必要です。

　トップレベルのクラブの多くは、専門のゴールキーパーコーチを置いて、選手たち（自クラブのみ、あるいは他のクラブのゴールキーパーも合わせて）にゴールキーパーの専門的な特別トレーニングを行っています。これは、ゴールキーパーのプレーに要求されるさまざまな要素に合わせたものであり、このトレーニングの中で、ゴールキーパーは試合で典型的に起こる状況を可能な限りトレーニングします。

　一方で、ゴールキーパーとフィールドプレーヤーは、トレーニングのある段階では一緒にトレーニングをすることが必要です。例えば、ゴールキーパーの課題も考慮したゲーム形式等です。ある特定の個人戦術あるいはチーム戦術のプレーを向上させるためであれば、ゴールキーパーはチームの中に入ってトレーニングを行わなくてはなりません。

　ゴールキーパー・トレーニングにおいて、筋力、スピード、持久力といったコンディション要素の向上と、ゴールキーパーの専門的テクニックを習得し完璧にすることのどちらを優先すべきか、といった問題については、さまざまな意見があるかもしれません。われわれの経験から言うと、特にユース年代のゴールキーパーの場合、ゴールキーパーの専門的なテクニックと運

ゴールキーパー・トレーニング　1章

動パターンの習慣化のほうが、コンディション面に重点を置くよりも意味があると考えています。

　テクニックに優れたゴールキーパーでも、タイミングよく有利なスタートポジションに入ることができなかったら、ねらったとおりにボールに到達することができません。したがって、テクニックを向上させるのと並行して、コーディネーションおよび運動の基礎の習得を、ゴールキーパー・トレーニングの中に組み込むようにしなくてはなりません。

　もちろん、サッカーのトレーニングの基本原則は、フィールドプレーヤーもゴールキーパーも同様です。コーチがフィールドプレーヤーのストロングポイントとウイークポイントを踏まえてトレーニングをプランニングしなくてはならないのと同じように、ゴールキーパーもウイークポイントにアプローチするように、トレーニングを組むようにしなくてはなりません。また、フィールドプレーヤーの場合と全く同じように、ゴールキーパーの場合も、トレーニングにおいて負荷と休息のバランスを調整しなければならないことは言うまでもありません。1人のゴールキーパーに矢継ぎ早に20本以上ものシュートを浴びせかけるのではなく、小さな「セット」に区切って取り組むこと、その合間に修正を与えること、誉め励ますことが重要です。要するに、フィールド上でのメンタル面へのアプローチは、ゴールキーパーもフィールドプレーヤーも変わらないのです。

サッカー選手はどの年代で何を習得すべきか？

　この基本的な問題は、ゴールキーパーだけにかかわることではありません。どの年代で何を習得すべきか。何をトレーニングできるのか。避けるべき内容は何か。

　ある特定の運動にかかわる身体の部位のコントロールは、中枢神経系が筋に指令を出すことで実行されます。中枢神経系は、ある特定の運動の実行を、考えられるあらゆる運動の莫大なレパートリーの中から適切に選択することを指令します。感覚器官、筋、例えば腕や脚の共同作用は、「モトリック（脳から運動神経を通じて伝達・操作される肢体・器官の運動能力）」、あるいは「精神運動能力」と呼ばれます。この概念は、他の言葉に置き換えると、運動のコーディネートとコントロール、刻々と移り変わる状況に運動行動とモデルを適応させることです。要するに、スポーツ、このケースではゴールキーパーの専門的テクニックを、マスターすることに当たります。

　「モトリック」は、持久力、筋力、スピード、可動性、コーディネーション等が要素となりますが、発育発達プロセスに影響を受けます。年代によって、このプロセスに最適に働きかけるために必要とされるトレーニング内容は異なります（各年代におけるトレーニング内容と発達の基礎知識については、各章を参照してください）。

　影響を受けやすい感受性豊かな段階のユースのトレーナビリティーが学習の最高の前提となっていることは、以前から明らかになっていることです。言い換えると、思春期には、特定のスポーツ運動のパフォーマンス要素を習得するために特に有利な成長段階が存在するということです。ユースのトレーニングを学習年代を考慮に入れて最適なものに組むためには、刺激に対して感受性豊かな年代にその刺激を与えるという考え方を枠組みとしてください。

◎**アドバイス**：この本は、まず第一にユースチームのコーチを対象としたものですが、多くの練習種目は、U-16、U-18、シニアアマチュアにも有用なものです。

図1

サッカー選手はどの年代で何を習得すべきか？

コーディネーション
- 運動学習能力： 7歳から12歳、および14歳以降
- 分化能力、コントロール能力： 7歳から12歳、および14歳以降
- 聴覚あるいは視覚刺激に対する反応： 7歳から11歳
- 空間認知能力： 6歳から15歳
- リズム感覚： 9歳から11歳
- バランス感覚： 9歳から13歳

コーディネーション
- 情緒―認知性： 10歳から12歳
- 学習モチベーション： 7歳から11歳

コーディネーション
- 持久力： 12歳以降
- 筋力： 13歳あるいは14歳以降
- スピード： 6歳から12歳
- コーディネーション／可動性： 常に

最適な学習年齢に関する科学的研究がすべて同じ見解を示しているわけではないので、上記の一覧は、特定のスポーツ能力を発達させるための目安と考えてください。

方法上のアドバイス

　ゴールキーパー・トレーニングの場合も、フィールドプレーヤー・トレーニングの場合と同様、各年代で、テクニックおよびフィジカル面を継続的に向上させるべく努力をしなくてはなりません。各年代ごとに要求されることを一覧にしましたが、その中では、1人のゴールキーパーが次の年代に達するときまでにどのテクニックをマスターしておいてほしいのか、積み重ねていってほしいのかを示しています。

　われわれは、「してほしい」と言っているのであって、「ねばならない」とは言っていません。というのは、停滞の段階があって、その後大きく飛躍して伸びるようなことは、よくあることだからです。この間コーチは、さまざまな立場が要求されます。時には思いやりのある教育者として、またある時には断固とした「ハード」な指導者として接しなくてはなりません。明確に構造化されたトレーニングを継続的に行っていけば、長期的に必ず効果が現れます。

　ゴールキーパー・トレーニングをチーム・トレーニングの枠組み内で行ったほうがよいかという実践上の問題に関しては、イエスともノーとも答えられます。トップレベルでは、ゴールキーパーは別枠でトレーニングするのがほぼ一般的です。チームないしはグループ戦術的トレーニングがテーマとなっている場合には、ゴールキーパーが一緒にトレーニングをすることが当然必要となります。より下のレベルやユースレベルでは、ゴールキーパーだけのトレーニングは、コーチの時間的な制約から不可能であることが多いようです。最近では、週1回はゴールキーパーだけのトレーニングを行うようになってきました。一般的なトレーニングの枠組みでは、少なくともウイングプレーヤーのクロスのトレーニング、ゴール前の1対1からのシュート等といった練習形式あるいはゲーム形式の際には、ゴールキーパーは必ず必要です。

ゴールキーパー・トレーニング　1章

メ　モ：

- トレーニング内容（テクニック、戦術、コンディション）を、年代と、そのときのパフォーマンス能力のレベルに合わせるようにします。
- トレーニンググループが小さいほど、ゴールキーパーに適切に接することができるようになります。テクニック・トレーニングは、2～4人のゴールキーパーで行うのが最適です。「コンディション」のテーマのときであれば、グループはもう少し大きくてもかまいません。
- 集中的に変化に富んだトレーニングを行います。年齢段階に応じてですが、60～80分間で行います。
- 基本原則は、簡単なものから難しいものへ、単純なものから複雑なものへ！
- まずさまざまなテクニックを個別に取り出して取り組み、後から組み合わせて習得するようにします。
- コーディネーション・トレーニングは、ゴールキーパーの専門的テクニック練習を組み合わせて行うようにします。
- ウォームアップ・トレーニングにも、メイン・トレーニングにも、重点を設定します。
- メイン部分の重点に関して、ウォームアップ・プログラムの段階から「準備」を開始します。
- 誤りを適切に発見し、修正すること（主要な誤りに焦点を当てること）。シンプルな解決方法を提案すること。
- 反復回数を多くしたり、長いセットを行わないこと。短く強度の高い負荷で、最高の集中で行うこと。
- ゲームに近い練習形式を工夫すること。
- ゴールキーパーはすべての練習形式で、方向づけと位置の明確な目安として、ゴール（少なくともコーンのゴール）を必要とします。
- トレーニング・セッションの最後には、モチベーションを高めるような練習形式を設定します。
- すべてのゴールキーパーに年齢の枠組みを越えた育成をすることを勧めます。例えば、10歳ユースのゴールキーパーが11歳ユースチームの通常の距離でトレーニングする、11歳のゴールキーパーが12歳とトレーニングする等（利点：プレーヤーの年齢と身体的発達の移行の壁を取り除く）。

さまざまな年代のゴールキーパーの合同トレーニングは、パフォーマンス向上に有利に作用します。

図2a

オーガナイズ上のアドバイス

ミニキッカーやU-8の場合、特別なゴールキーパー・トレーニングは必要ありません。早期の専門化は避けます。

トレーニンググループの構成：

U-10（10歳以下）：
- 年少も年長も一緒に　　ゴールキーパー2～4人
- トレーニング頻度　　　チーム・トレーニングの
　　　　　　　　　　　　前と間に週2回
- 時間　　　　　　　　　45～60分

U-12（12歳以下）：
- 年少も年長も一緒に　　ゴールキーパー4人（各チームに
　　　　　　　　　　　　ゴールキーパーが2人ずついるこ
　　　　　　　　　　　　とが前提）
- トレーニング頻度　　　チーム・トレーニングの前と間に
　　　　　　　　　　　　週2回
- 時間　　　　　　　　　60分

U-14（14歳以下）：
- 年少も年長も一緒に　　ゴールキーパー4人（各チームに
　　　　　　　　　　　　ゴールキーパーが2人ずついるこ
　　　　　　　　　　　　とが前提）
- トレーニング頻度　　　チーム・トレーニングの前と間、
　　　　　　　　　　　　およびチーム・トレーニングに関
　　　　　　　　　　　　係なく週2回
- 時間　　　　　　　　　60～70分

図2b

自分のクラブでのトレーニング条件が最適でなかったら、発想を変えてみると良いでしょう。例えば、近くのクラブと一緒にトレーニングすることを考えてはどうでしょうか。このような考えは決してタブーではありません。コーチも励ましてくれるかもしれません。

U-16（16歳以下）：

- 年少も年長も一緒に　　ゴールキーパー4人（各チームにゴールキーパーが2人ずついることが前提）
- トレーニング頻度　　チーム・トレーニングの前と間に週3回
- 時間　　70〜90分

U-18（18歳以下）：

- 年少も年長も一緒に　　ゴールキーパー2〜4人
- トレーニング頻度　　チーム・トレーニングの前と間に週3回
- 時間　　70〜90分

上に挙げた考え方は、クラブの中に相応の組織的な前提があって初めて可能になるものです（ユースチームの数、ゴールキーパー、コーチの数）。また、トレーニング・グループ、トレーニング回数、ゴールキーパーの特別トレーニングが行うための時間があるか、等が影響します。

CHAPTER 2 ゴールキーパー・テクニック

若手ゴールキーパーの育成法

　優れたテクニックは、ゴールキーパーとして成功するための最も重要な前提となります。したがって、若手ゴールキーパーを育成する際には、ゴールキーパーの専門的テクニックの動きの流れを、できるだけ習慣化するようにします。早いうちに間違った動きを身につけてしまうと、後から修正するのは非常に困難です。

　ゴールキーパーの専門的テクニックの多くを完璧に習得するゴールキーパーはほとんどいません。よいコーチは、自分のチームのゴールキーパーのテクニックの発展をどの時点まで助けることができるか、どの時点でその到達度に善かれ悪しかれ満足しなくてはならないのか、をわかっているものです。

　本章ではゴールキーパーがボールを使って行うテクニックを示します。さらに、テクニックの特徴の詳細と、起こりやすいミスを説明します。これらのテクニックに関しては、ゴールキーパーがアクションの前にとるべき「基本姿勢」「スタートポジション」もかかわってきます。

　「ボールなし」あるいは「ボールあり」のテクニックと動きの習得に適した練習形式を、各年代に応じて、示していきます。

　「フィスティングとディフレクティング」のテーマの場合、忘れてならないのは、ゴールキーパーはできるだけボールを確実にキャッチすることが原則であるということです。とりわけ、ユース年代では、トレーニングにおいて、ボールをできるだけキャッチするようにします。ゴールキーパーがキャッチングのテクニックをマスターしてから、フィスティングやディフレクティングをトレーニングプロセスに組み込むようにします。

ゴールキーパー・テクニック　2章

17

■ 基本の構え

シュートに対する基本の構え

テクニックの解説
- 両足は肩幅に開き、腰の真下に来るようにします。
- 膝は軽く曲げます。体重は拇指球で受けます。
- 上体は軽く前傾します。
- 腕は身体の横。軽く曲げます。肘は少し前に出し、両手を開いて、ボールの方向に向けます。

アドバイス
相手とボールの距離によって、基本の構えを変えます。シューターがゴール近くにいて、頭上を越される確率が低い場合は、ゴールキーパーの基本の構えはより深くなります。

クロスに対する基本の構え

テクニックの解説
- ゴールキーパーはゴールを背にして、ゴール内ライン上の後方1/3の位置に立ちます。
- 両足は肩幅に開き、腰の真下に来るようにします。
- 膝は軽く曲げ、重心は拇指球で受けます。
- リラックスして立ちます（軽くダンスする感じ）。
- 腕を身体の横で曲げます。両手は開きます。
- 身体を緊張させます。
- 目はボールに向けます。

アドバイス
クロスが中盤から送られてくる場合、ゴールラインからクロスが来る場合とは、以下の点で基本姿勢が異なります。ゴールキーパーは身体をボールの方向に向け、ゴールの前、中央に立ちます。

2章 ゴールキーパー・テクニック

アドバイス

膝関節と股関節を曲げることで、重心を沈めます。

起こりやすいミス

- 足の幅が狭すぎる。
- 上体が起きすぎている。腕を下に下げてしまっている。両手を握ってしまう。
- 膝を曲げ過ぎてしまう。
- 背中を丸めてしまう。
- 重心を後ろ（かかと）にかけてしまう。

起こりやすいミス

- ゴールキーパーはボールに対し斜めではなくまっすぐ立ってしまう。
- ゴールの前1/3の位置に立ってしまう。
- 両足の幅が狭すぎる。
- 上体を前倒しすぎている。腕を下げすぎている。両手を握ってしまっている。
- 膝を曲げすぎている。
- 体重を後方（かかと）にかけすぎている。

■ グラウンダーのボール

正面およびサイドでのキャッチ

テクニックの解説

- 1歩を深く、ボールの後ろに出します。前の足と後ろの足の間の隙間は、後ろの足の膝でふさぎます。膝を地面にできるだけ近づけます（次のプレーに素速く移れるようにします）。
- 体重は拇指球で受けます。
- ボールが少し右に来たら、右の足を少し前に出します（左の場合は左）。
- 腕をボールに向かって伸ばし、両手は開きます。両肘はできるだけ狭めます。
- ボールに触れる瞬間に、両腕を軽く身体のほうへ引き、ボールのスピードを落とすようにします。
- プレーを素速く続けるために、ボールはできるだけ前方への動きでキャッチします。

フォーリング、サイドのローリング

テクニックの解説

- 倒れ込みの際には、身体を素速くボールの後ろに倒します。股関節、上体、腕を同時に横、下に伸ばします。
- 肘は身体の前に置きます。
- 股関節、体側、肩の順にローリング。
- ボールを身体の前でキープします。グラウンダーの場合は、ボールに向かって右足で短くステップをします。その際、重心は、右の足にかけ、素速く身体を沈み込ませて、上体をボールの後ろに倒し込みます。
- 両手はボールの後ろ。
- 下の手は後ろ、上の手はボールの上か後ろ。
- 目はボールから離さないようにします。
- 「足を持ってくる」：ゴールキーパーが右に倒れるときには、左の膝は軽く前に持っていき、背中のほうへ倒れてしまうのを防ぎます。逆も同様。左サイドに倒れる際には、右足を軽く前に出します。
- ボールを身体に抱え込み確保します。

ゴールキーパー・テクニック　2章

起こりやすいミス
- 両足と両膝が開きすぎる。
- ボールを身体の横で取ってしまう。
- 腕と手をボールのほうへ迎えに行かせない。
- 両膝を地面につけてしまう。
- 両手でボールを上からつかんでしまう。
- 前の膝が両腕の間に来てしまう。
- ゴールキーパーが後ろの足の上に座ってしまう。
- ゴールキーパーがボールを確保する前に起き上がってしまう。

写真は右から左への順

起こりやすいミス
- ゴールキーパーがボールへステップを踏まず、脚を伸ばしたままサイドに倒れる。
- ボールを背中で倒れてキープしてしまう。ゴールキーパーが後方へ倒れてしまう。
- 上体を起したままにしてしまう。腕を前に伸ばす。
- 目をボールから離す。
- 両手がボールの後ろに来ていない。
- 両手でボールをたたいてしまう。
- 着地後に背中側に倒れてしまう。

■ ライナー

正面のキャッチ

テクニックの解説
- 軽く1歩前に出します。ボールに向かって1歩。
- 上体は軽く前傾しますが、ボールの後方に入ります。
- 両腕と両手はボールのほうへ伸ばします。
- 肘はできるだけ締めます。
- 飛んでいるボールに対し、両手と上腕が最初に触れるようにします（ボールのスピードを吸収する）。
- 上体はボールの上にかぶせます。両手でボールを覆います。

ダイビングとサイドのローリング

テクニックの解説
- サイドに向かって1歩あるいは数歩動きます（ステップ、ステップ、ジャンプ）。最後の1歩を大きく、斜め前方に出します。
- 踏み切り足（この場合は右）を曲げ、伸ばします。反対の足は巻き込んで高く(スイング)。腕のスイングの動きも必要です。
- 重心は踏み切り足にかけます。
- 踏み切り足は、一気に踏み切ります（地面への接地は短く）。
- ボールに対して直線的に加速。
- ボールに対して直線的に最短の軌跡でジャンプ。
- ジャンプしている間にボールをキャッチし、身体に抱え込み確保します。
- 身体は上腕、肩、股関節の順で着地します。上体の勢いは、前方へのロールによって、身体の長軸で吸収します。

ゴールキーパー・テクニック　2章

起こりやすいミス
- 両腕と両手ではなく、胸が最初にボールに触れてしまう。
- 上体を起こしたままで、ボールとゴールの間に入ってしまう。
- 足を1歩踏み出す動きがボールの方向に向かうのでなく、後ろに下がってしまう（軽く跳んでしまうこともよくある）。

写真は右から左への順

起こりやすいミス
- ボールの方向へ足を1歩踏み出さない。地面を力強く蹴らない。
- 両足同時に踏み切りをしてしまう。
- ボールを身体に引きつけず、着地の際に手放してしまう。
- 腕を曲げて着地してしまう。
- ジャンプ足の膝が十分に曲がっていない。その結果、十分に伸びない。
- ジャンプ足の膝が曲がりすぎている。したがって、重心が沈みすぎる。

■ハイボール

正面のキャッチ

テクニックの解説
- ボールをできるだけ早く、身体の前でキャッチします。できるだけ高い位置でキャッチします。その際、足関節と膝関節と股関節は、十分に伸ばします。
- 反対の膝の反動を使ってジャンプします。
- 「ボールに向かう動き」（待って、ボールに向かって動き、ジャンプする）。
- ボールから目を離さないようにします。
- 助走とジャンプに腕を使います（腕を積極的に使う）。
- ボールに向けて腕を上に伸ばします。
- 手関節をまっすぐにしっかりと固定して、ボールをつかみます（親指を内側に向け、両手はボールの後ろ）。
- ボールに触れる間、腕は曲げ、ボールを両手で身体の方向に引きます。
- プレッシャーのかかる中でも片足でジャンプします。

クロスのボールのキャッチ

テクニックの解説
- ボールに向かい、細かく素速いステップで動きます。
- ボールへの最後のステップは大きく（踏み込みステップ）。
- ジャンプはボールに近いほうの足で片足ジャンプ。ボールが右から来たら右足踏み切り。左から来たら左足踏み切り。その際、踏み切り足の足首、膝、股関節をしっかりと伸ばします。
- 腕は助走とジャンプに有効に使います（腕のスイング）。
- 反対の脚の膝と腕を振り上げることで、地面から力強くジャンプします。
- ボールを最高地点で身体の前でキャッチし、身体でしっかりと確保します。
- 踏み切り足で着地します。
- ボールに向かって思い切って動きます。

ゴールキーパー・テクニック 2章

起こりやすいミス
- 目をボールから離してしまう。そうすると、身体を越えて自分の身体よりも後ろでキャッチすることになってしまう。
- 両手を開く。両手をボールに対して内側に向けてしまう。
- 腕をボールに対し横から弓型に持ってしまう。両手の親指がボールの後方に入っていない。
- 腕を伸ばさず、ボールをキャッチするのが遅れてしまう。
- 慌ててボールをあまりに早く身体の方向に引いてしまい、失ってしまうことがある。
- 両足でジャンプする。

起こりやすいミス
- 両足でジャンプしてしまう。
- ボールがどちらから来ても、常に同じ足でジャンプしてしまう。
- ボールへ向かうステップが大きすぎる。
- 反対の膝を振り上げないので、ボールへのジャンプがしっかりとできない。
- 反対の膝を曲げるが、踏み切ってすぐにまた伸ばしてしまい、ジャンプが上に上がらない。
- ボールを胸の前、あるいは身体を越えた位置でキャッチしてしまう。
- ボールから目を離してしまい、ボールを身体を越えた位置でキャッチしてしまう。
- 着地を両足、あるいは踏み切り足ではないほうの足でしてしまう。

■ディフレクティング

グラウンダー、ライナーのボール

テクニックの解説
- 手の拇指球がディフレクティングの面となります。
- 手首を固定します。
- 肘から上を使ってボールの方向を変えます。
- ボールをできるだけ早くディフレクティングします。
- ボールをサイドに、できるだけゴールラインの外にディフレクティングします。

アドバイス
　基本的にゴールキーパーはすべてのボールをキャッチし、身体に確保したほうがよいのです。特にユース年代のトレーニングでは、ゴールキーパーがキャッチできるようなボールを蹴るべきです。ゴールキーパーがキャッチングのテクニックをマスターしてから、トレーニングに適切なフィスティングあるいはディフレクティングを導入するようにします。

ハイボールのディフレクティング

テクニックの解説
- 目をボールに向けます。
- ボールへジャンプする前に、サイドステップで短く移動。
- ボールへ向かって最後のステップは大きく。
- 左足でジャンプする際には、右腕を使い、ボールをゴールの上あるいは横へディフレクティングします（ボールがプレーされてきたサイドに応じて）。
- 右足でジャンプする際には、左腕を使ってボールをディフレクティングします。
- ボールは片腕で、指先を使ってゴールの上あるいは横へディフレクティングします。
- ボールを先へ送ります。

ゴールキーパー・テクニック　2章

起こりやすいミス
- 指を使ってディフレクティングをしてしまう。
- 手首を固定せず緩めたまま。
- ボールの方向を変えられない。腕をボールに対して完全に伸ばして出してしまう。
- ボールの下からディフレクトしようとしてしまう。
- ボールをフィールド内に入れてしまう。

起こりやすいミス
- 「間違った足」でジャンプしてしまう。
- ボールから遠いほうの腕を使ってしまう（ボールに触れることができない）。
- ボールをフィールド内に残してしまう。
- ボールにまっすぐ跳んでいない。
- ボールを最高点でとらえていない。
- 上体を捻るのが早すぎる。ボールに対し、腹を下にした状態で跳んでしまう。

27

■ フィスティング／プレーの組み立て（フィード）

ハイボールのフィスティング

テクニックの解説

- ボールをフィスティングする前に、周囲の状況、相手プレーヤー、味方プレーヤーをよく観ること。それからボールに集中します。
- 両手のこぶしを握ります。
- 「ボールに向かった動き」（ためてからボールに向かって動き、ジャンプする）。
- ボールに近いほうの足で踏み切ってジャンプします。ボールが右から来たら、右足でジャンプします。左から来たら左足でジャンプします。両手でフィスティング。
- 片手でフィスティングする場合、ボールが右から来たら、左足でジャンプします。左から来たら右足でジャンプします。
- 反対の膝で弾みをつけます（保護にもなる）。両腕を力強く押し出します。
- 肘関節は素速く伸ばしますが、完全には伸展させないようにします。斜めの動きからボールを中央のできるだけ高い位置でとらえます。
- ボールに近いほうの手でフィスティングする場合、できるだけ反対のサイドへ。

アンダーハンドスロー

テクニックの解説

- ボールを片方の手とその前腕の間に挟みます。反対の手は、軽くボールの前側を押さえます。
- ボールと反対側の足を、ボールを出したい方向に1歩前に出します。同時にボールを身体の横から後方に引きます。
- ボールと反対側の足の膝を深く曲げ、上体を軽く前傾させます。
- ボールを地面にゴロで転がします。手はできるだけ長くボールに触れておき、転がす方向へ伸ばしておきます。

ゴールキーパー・テクニック　2章

起こりやすいミス

- ボールから目を離してしまう。
- スタンディングから両足でジャンプしてしまう。
- フィスティング前の手の構えが深すぎる（手の動きが長すぎる）。
- 手のこぶしを握らない。手を開いてボールを触りに行ってしまう。
- 肘を伸ばさない。
- ボールを高すぎる位置、あるいは深すぎる位置でとらえてしまう。
- ボールから遠いほうの手でフィスティングしてしまう。
- 同方向にディフレクティングしてしまう。
- ボールを持った相手プレーヤーに強く集中してしまう。

アドバイス

　アンダーハンドスローは、短い距離で、ゴールキーパーと味方プレーヤーとの間に相手がいない場合に用います。

起こりやすいミス

- ボールのスローが遅すぎる、あるいは速すぎる。
- ボールをライナーで投げてしまう。
- 手を横に出してしまう（転がす方向に出さない）。
- 転がす方向にボールと反対側の足を踏み出す動きがない。走りながらスローしてしまう。

29

■ プレーの組み立て（フィード）

オーバーハンドスロー

テクニックの解説
- ボールを両手で持ち、投げる側の手の横から後方に持ってきて、手と前腕の間に挟みます。頭と上体を捻ります（ボールを見ながら）。
- ボールと反対側の足を投げる方向に出します。
- 上体を開いて、反対の腕を素速く前方に持ってくる。投げる腕がそのすぐ後を追います。
- 手はできるだけ長くボールに触れておくようにします。そうしないと、力が逃げてしまいます。
- ボールをサイド（ハンマースロー）あるいは頭の上から投げます。後ろの足を後から投げた方向に持っていきます（全体のなめらかな動き）。

キック

テクニックの解説
- 斜め後ろから助走に入ります。
- ボールコンタクト時には、立ち足をボールの横または後ろに置きます。
- ボールの中心をとらえます。
- 蹴り足を前方へスイングします。

アドバイス
- キックはゴールキーパーが行うようにすべきです。そうしないと、第一に、フィールド上でパスの出し所となる味方が1人減ることになってしまいます。第二に、相手にとってオフサイドとならなくなってしまいます。
- ボールをゴールの前中央に置きます。そうすれば、キックをミスしたとしても、ゴールキーパーはゴールの前にいることができます。

| | 2章 ゴールキーパー・テクニック |

起こりやすいミス
- 投げる方向に対して、横向きではなく正面を向いて立ってしまう。
- 腕を伸ばして、ボールを離すのが早すぎる、あるいは遅すぎる。
- 間違った足（ボールの側の足）を前に出してしまう。
- 上体を横に倒しすぎる。

起こりやすいミス
- 立ち足の位置がボールに対し後ろすぎる、あるいは前になってしまう。
- ボールに対しまっすぐに助走で入ってしまう。
- 予備動作が短すぎる。
- 蹴り足を振り出さない。
- ボールに対し横から入ってしまう。

ボレーキック

テクニックの解説

- 少しステップを踏んで、ボールを短く投げます（若いゴールキーパーはこれを両手で行うようにする）。
- 腕を伸ばしてボールを身体の前に置きます。
- ボールをインステップでとらえます。
- ボールコンタクト後、蹴り足をプレー方向に振り出し、そのまま1歩出ます（なめらかな動き）。

アドバイス

味方に最も早くパスできるのはドロップキックです。しかし、ドロップキックはテクニック的に難しいので、まずはボレーキックで行うことを勧めます。

ドロップキック

テクニックの解説

- 両腕を伸ばしてボールを身体の前に落とします。または、片手で少し投げます。
- 蹴り足の膝を持ち上げます。ボールを少し弾ませて上がってきたところを蹴ります。膝より下でとらえるようにします。
- ボールに対し短く素速く動きます（蹴り足を短く振り上げ、再び戻す）。
- 足首を固定し、つま先を下に向けます（インステップでとらえる）。
- 立ち足はボールを出す方向に向け、ボールの横につきます。
- ボールをグラウンダーで蹴るのか、ライナーで蹴るのか、ハイボールで蹴るのかによって、上体を前傾（グラウンダーとなる）ないしは後傾させます。

ゴールキーパー・テクニック　2章

起こりやすいミス
- ボールを投げるのが身体に近すぎる。
- ボールを投げるのが高すぎ、あるいは横すぎる。
- 上体をボールに対して倒しすぎる。
- 蹴り足をボールに対してまっすぐ出すのではなく、横から振ってしまう。
- ボールをインステップでとらえない。とらえるのが遅すぎ、あるいは横からになってしまう。
- 調和のとれたなめらかな動きがない。ボールコンタクトの後、前に出ないで後ろに下がってしまう。上体が後方に倒れすぎている。

起こりやすいミス
- ボールを高く投げすぎる、あるいは身体の横に落としてしまう。
- ボールをとらえるのが早すぎ、あるいは遅すぎになる。
- ボールを膝より下でとらえていない。
- 蹴り足を引き上げる動きがない。
- 足首が固定されていない。
- 足首がまっすぐになっていない。ボールをアウトフロントでとらえてしまい、ボールがサイドに曲がってしまう。

CHAPTER 3　ゴールキーパーの戦術の基本要素

ゴールキーパーの戦術トレーニングについて

　戦術トレーニングは、ゴールキーパーのみのトレーニング、またチーム・トレーニングの基本的な構成要素となります。

　ゲーム分析によると、ゴールキーパーが実際にゲームを決定づけるようなプレーを要求されることは、通常1試合で4、5回です。さらにそれは、ある意味で長い休止状態の後のことであり、通常は比較的「仕事のない」状態にあります。では、ゴールキーパーは本当にほとんどの時間は「仕事がなく」、時間帯によっては「活動のない」ポジションなのでしょうか？

　そんなことは断じてありません！ ゴールキーパーに「仕事がない」ということは全くなく、それどころか常に集中し、常に準備ができていなくてはならず、ゲームの展開に常に積極的にかかわっていなくてはなりません。

　ゴールキーパーがチームと「ともにプレー」をしていれば、危険な状況が最初から緩和されることもしばしばあります。守備組織をねらいをもって適切にオーガナイズし、指揮することもまた、ゴールキーパーの仕事です。

　ゲームの進行の中で、ゴールキーパーは常にさまざまなプレー状況に対応しなくてはなりません。このための基礎となるのは「ポジショニング」、すなわち、その都度のボール、味方、相手プレーヤーに応じて適切なポジションをとることです。したがって、ゴールキーパーの戦術的な行動の型をシステマティックにゲームに近い形で習得し改善するには、ゴールキーパーとフィールドプレーヤーのトレーニングを組み合わせて行うことが不可欠になります。そのようにして初めて、実戦でのプレー状況を生じさせることができ、ゴールキーパーもまた戦術的に要求を受けることができるのです。

戦術トレーニングの目標：

　ゲーム理解と、ゲームの展開・状況についての予測能力を発展させ改善させること。

戦術行動の基本原則：

　ゴールキーパーは常にゲームで起こっていることを観察します。そして、適切なポジショニングによって、それぞれのプレー状況を有利に展開することが可能になります。現在の状況に、できるだけ早くかかわるようにしましょう。

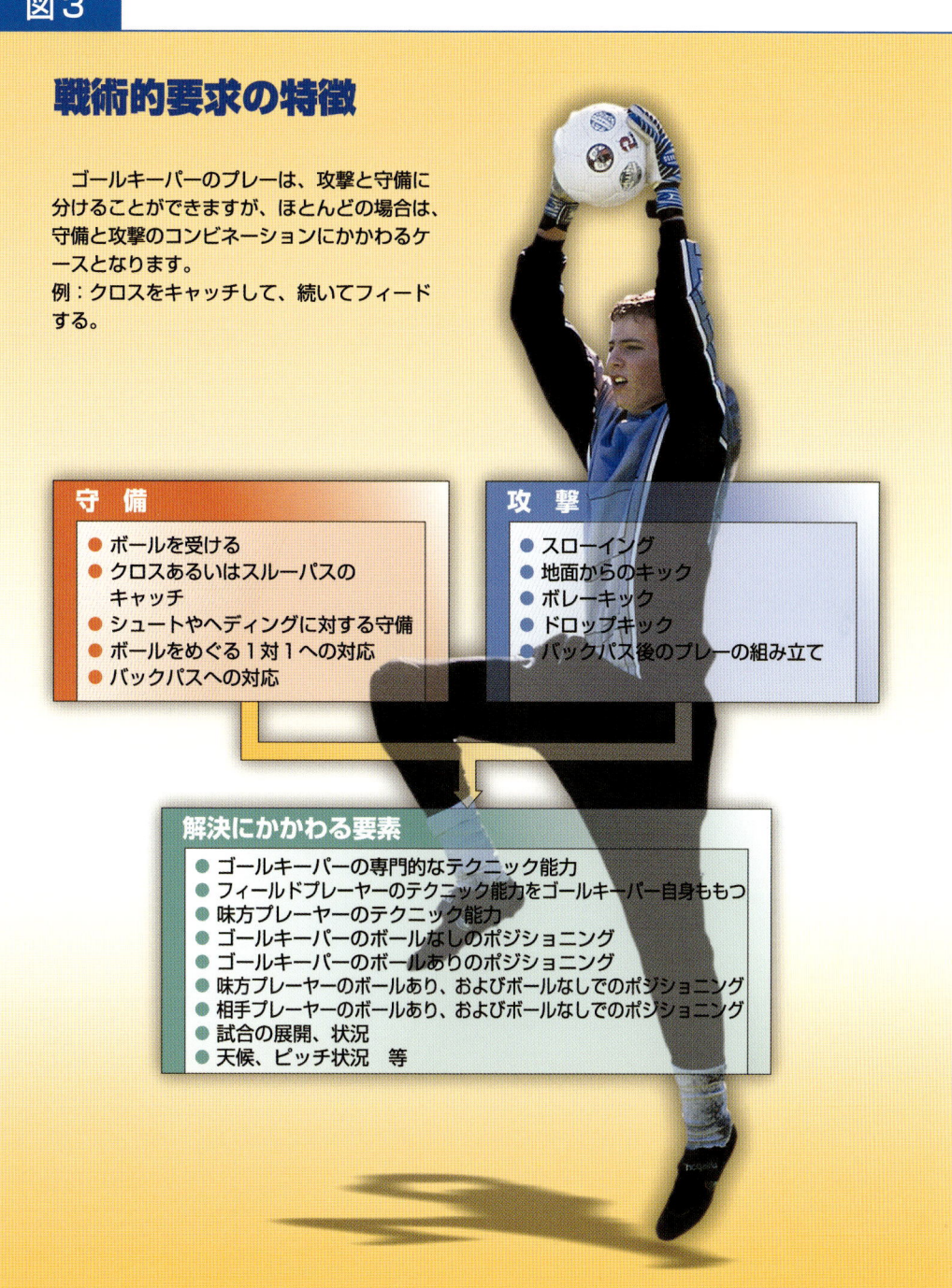

図3

戦術的要求の特徴

ゴールキーパーのプレーは、攻撃と守備に分けることができますが、ほとんどの場合は、守備と攻撃のコンビネーションにかかわるケースとなります。
例：クロスをキャッチして、続いてフィードする。

守備
- ボールを受ける
- クロスあるいはスルーパスのキャッチ
- シュートやヘディングに対する守備
- ボールをめぐる1対1への対応
- バックパスへの対応

攻撃
- スローイング
- 地面からのキック
- ボレーキック
- ドロップキック
- バックパス後のプレーの組み立て

解決にかかわる要素
- ゴールキーパーの専門的なテクニック能力
- フィールドプレーヤーのテクニック能力をゴールキーパー自身ももつ
- 味方プレーヤーのテクニック能力
- ゴールキーパーのボールなしのポジショニング
- ゴールキーパーのボールありのポジショニング
- 味方プレーヤーのボールあり、およびボールなしでのポジショニング
- 相手プレーヤーのボールあり、およびボールなしでのポジショニング
- 試合の展開、状況
- 天候、ピッチ状況　等

図4

各攻撃アクションの長所、短所

地面からのキック
いつ使う？ 味方へ短い距離の場合はグラウンダーあるいはライナー、長い距離の場合はハイボールでつなげるときに使う。

+ 追い風のときは有利。
− ディフェンダーがよいポジションをとっている場合に、味方にとって受けにくい。ボールが長く浮いているので、その間に相手プレーヤーがプレッシャーをかけることが可能となる。

ボレーキック
いつ使う？ 長い距離をつなぐときに使う。

+ 相手がプレッシャーをかけてきている時間帯に、時間をかせぐことができる。
追い風のときは有利。
ショートパスを多用した後のバリエーションとして。
味方トップに対し相手のディフェンダーのヘディングが弱い場合。
− 不正確になりやすく、味方プレーヤーは対応しにくい。ディフェンダーのほうがよいスタートポジションをとりやすい。

スローイング
いつ使う？ 短〜中距離を素早くつなげたいときに使う。

+ 正確になり、味方は受けやすい。
− 長距離をつなげようと思うと、相手プレーヤーからプレッシャーをかけられやすい。

ドロップキック
いつ使う？ 短〜長距離を素早くつなげたいときに使う。

+ 正確なボールとなり、軌跡が平らとなるので受けやすい。プレースキックやボレーキックよりも速度が出る。
コーナーキックの後、カウンター等スピードのある味方に対してねらいをもって出す。
相手が徹底してアグレッシブにフォアチェックをかけてくるとき。
横風のとき。
− GKに高いテクニックレベルが必要。
特にピッチコンディションが悪いとき。

トレーニングの実践

1. ゴールキーパーの専門的な戦術行動の習得は、フィールドプレーヤー（味方と相手プレーヤー）と連携して行うことによって、初めて実際に効果的なものとなります。

2. ゴールキーパーの専門的なテクニックをマスターすることは、状況に応じて適切に対処するためのベースとなります（戦術面にも関連）。

　トレーニングにおいては、テクニックと戦術という2つの育成のブロックを、別々のものと考えてはいけません。このことは、一つひとつのテクニックに関しての「実践的練習形式」でも明確になります。特に、ゴール前での複数のゴールキーパーでの練習の場合、戦術的なパターンと、1つあるいは複数のゴールキーパーのテクニックの組み合わせにフォーカスする場合が多くなります。

　ゴールキーパーの専門的テクニックトレーニングを独立させて行っているだけでは、あまり多くの効果はもたらされません。実戦の条件のもとで習得したテクニックを応用してみて初めて、よいゴールキーパーへと成長することができるのです！

基本的な戦術要素

さまざまな距離からのさまざまな強さのシュートに対し、基本の構えをとる

ゴールキーパーのアクションのスタートポイントは、基本姿勢です。ただしこれは、唯一の決まった基本姿勢が存在するわけではなく、プレー状況、ボールとの距離等に応じて、さまざまなバリエーションがあります（第2章「ゴールキーパーのテクニック」も参照のこと）。

基本姿勢は大きく2つに分けて考えています。
1. シュートに対して
2. クロスに対して

重要な点をいくつか挙げておきます。
- どのような基本姿勢をとるかによって、ゴールキーパーがどのアクションを実行することができるかが決まります。
- 基本姿勢は、常にボールの位置との関係でとります。
- 基本姿勢に先立って、常に「プレジャンプ」や助走が入ります。
- 助走は、常に短いステップから入ります（「プレジャンプ」）。そうすることによって、大腿の筋が緊張し、素早くアクションを起こすことが可能となります。
- 助走は、ボールとの距離によって、さまざまに異なります。

中〜長距離からのシュート

- ゴールキーパーは、ボールとゴールの中央を結んだ想定ライン上に立ちます。ゴールラインからは、頭上をループで越される危険のない距離をとります。
- ゴールキーパーは、シューターがシュートの導入動作に入った瞬間に、助走から基本動作に入ります。
- 時間が十分にあるときには、助走のステップは大きくとります。
- シュートの瞬間、ゴールキーパーは両足を地面に着いて立っているようにします。
- 膝と股関節は軽く曲げておきます。
- 腕は身体の横か少し前に出します。
- 両手を開き、身体の横に保持します。

近距離正面からのシュート

- ゴールキーパーは、ボールとゴールの中央を結んだ想定ライン上に立ちます。
- シューターにとってゴールの面が小さくなるように、ゴールキーパーはできるだけ前に出ます。
- シューターが導入動作に入った瞬間に、ゴールキーパーは素早く助走から基本姿勢に入ります。
- 膝関節と股関節を十分に曲げておきます。
- 腕は身体の横に構えます。
- 頭越しのループは可能性は低いので、両手は下げておきます。
- ボールをよく見ておきます。
- ゴールキーパーはボールに対し、横か前に動きます。決して後ろに動いてはなりません。

近距離斜めからのシュート

手順は正面からのシュートの場合と同様です。
- シュートの瞬間、ゴールキーパーは両足を地面に着いて立っているようにします。
- 膝関節と股関節を曲げます。上体は軽く前傾させ、自分の面をできるだけ大きくします。
- ボールに対して前に出ます。

◎**アドバイス**：実践的に習得するためには、ほぼすべての練習は、さまざまな距離から、正面から、および斜めから行うと有効です。その場合、ドリブルから、パスから、さまざまなコンビネーションからのシュート等、常にバリエーションをつけることができます。そうすることで、ゴールキーパーに、常に新たな状況に対応させるようにします。

ゴールキーパーの戦術の基本要素　3章

正面から、あるいはサイドから（クロス）のハイボールに対して

　第2章「ゴールキーパーのテクニック」では、ハイボールのキャッチについて（正面からとサイドから）説明しました。ゴールキーパーの「1対1の空中での競り合い」とそれに付随する戦術的な要素に関しては、52ページからの項で扱います。

クロスへの対応について
全般的な戦術上のアドバイス

- クロスへの対応の場合も、よいポジショニングがゴールキーパーのプレーの成功のためのベースとなります。
- ボールがクロスを上げる選手の足を離れたら、構えに入ります。
- ゴールキーパーは、ゴールから出るかゴール内に留まるかを判断し、その判断を短い言葉で味方プレーヤーに伝えなくてはなりません。
- 腕は身体の前、あるいは横に構えます。
- ゴールキーパーがゴールから出る場合は、細かく素速いステップでできるだけまっすぐポイントに近づき、ボールをキャッチするようにします。
- クロスのボールをキャッチするときには、相手とのボディコンタクトに備え、身体を緊張させておきます。
- 最後のステップは前方へ大きく出て、ボールに向かってダイナミックにジャンプします。
- ゴールキーパーはボールに向かってジャンプし、できるだけ高い位置でキャッチします。

ゴールライン際からのクロスの場合の
ゴールキーパーのポジション

- ゴールキーパーはクロスを上げるプレーヤーのポジション（距離）に応じて、ボールに対してゴールの前、中、後ろのいずれかの1/3の位置に入ります。
- ゴールラインに平行にゴールに背を向けて立ちます。

サイドラインからのクロスの場合の
ゴールキーパーのポジション

- ゴールキーパーは、ボールに対してゴールの中、あるいは後ろの1/3の位置に入ります。
- 身体をボールの方向に軽く向けます。
- ゴールラインからのクロスの場合と同様、ゴール前に立ちます。

ハーフフィールドからのクロスの場合の
ゴールキーパーのポジション

　ゴールキーパーは以下のポジションに立ちます。
- ゴールのほぼ中央。
- ボールに対し正面。
- クロスを上げるプレーヤーとの距離に応じて、ゴールラインから数歩分離れます（クロスを上げるプレーヤーが近くなるほど、ゴールラインに近づきます）。

正面からのボールの場合の
ゴールキーパーのポジション

　ゴールキーパーは以下のポジションに立ちます。
- ゴールのほぼ中央。
- ボールに対し正面。
- クロスを上げるプレーヤーとの距離に応じて、できるだけゴールから前に出ます。ただし、その場合にはループシュートに注意しなくてはなりません。

コーナーキックの際の味方ディフェンダーとの連携

コーナーキックやフリーキックといった、いわゆるセットプレーの際には、ゴールキーパーは責任をもって中心となり、監督によって各プレーヤーに与えられた役割に基づいて、素早く適切な守備を組織します。

ゴールキーパーの役割

- 味方に短く的確な言葉をかけます。
- 味方プレーヤーを、ニアポストとファーポストに手早く1人ずつ配置します。
- 両ポストには常にプレーヤーを確実に配置するようにします。
- ゴール付近の相手プレーヤーに対し、素早く味方のマークを指示します（ゴールキーパーは、味方が自分で判断できない場合、相手プレーヤーに対してのヘディングの強さも加味して味方プレーヤーを配置します）。
- 次に、ゴールから離れた位置にいる相手プレーヤーに対して味方プレーヤーを配置します。
- 必要があれば、ニアポストについているプレーヤーと取り決めをしておきます（ニアポストへのグラウンダーとライナーはクリア）。

ゴールキーパーの行動

- ゴールの中央に立ち、正面ではなくシューターのほうを向きます。
- ボールが飛んで来たらすぐに、ゴールキーパーは自分でキャッチするか、あるいはクリアをするためにゴールを出るかを決断します。その決断を速やかに周囲に伝えなくてはなりません。
  ゴールキーパーは、ボールが自分の近く（ゴールエリア）でプレーされた場合には、ボールに対して出るようにします。ゴール前にはプレーヤーの数が多いので、ゴールラインを離れる際に味方あるいは相手プレーヤーに妨げられる危険が大きいからです。
- ニアポストへのボールは非常に危険です。というのは、伸びてくるボールには到達するのが非常に難しいからです。このような場合には、自分で、あるいは味方ディフェンダーと連携して守るようにします。
- 目的をもってプレーに関与します。
- ショートコーナーの際には、ゴールキーパーが指示を出して、守備組織をボールに向けて移動させます。

フリーキックの際の味方ディフェンダーとの連携

ゴールキーパーの役割

- 味方に短く的確な言葉をかけます。
- 素早く味方に壁をつくる指示を出します。
- 何人で壁をつくるかを決断します。
- 壁の2人めのプレーヤーが、ボールとゴールポストを結んだライン上に来るようにします。ゴールキーパーから遠いほうのサイドのグラウンダーやライナーのボールを守ります。
- ゴール近くの相手プレーヤーへのマークを、味方に素早く指示します。

ゴールキーパーの行動

- ゴールキーパーは壁の少し横に立ち、ゴール中央ではなく、自分で決めたゴールのサイドに寄って立ちます（壁はそれに応じて配置します）。
- ボールの距離に応じて、ゴールラインにつくか出るかを決めます。
  - ボールがどこに飛んでくるかが判断できるまでは、早く動いてゴール中央をあけることのないようにします。
    - ボールはキャッチするか、サイドにクリアします。
    - 壁がボールをブロックしたら、ボールの位置に応じてできるだけ早くポジションを変えます。

◎**注意**：集中することが大切です。フリーキックをブロックした後は、しばしば大きな危険が潜んでいます。状況がまだしっかり解決されたわけではないからです。したがって、

- すぐにボールに注意を向けます。
- ゴール方向へ弾んでくるボールに、思い切りよく反応します。

1対1

相手アタッカーとの1対1

アタッカーがゴールキーパーをかわそうとするとき、ゴールキーパーとアタッカーのチャンスはほぼ対等です。そのためゴールキーパーは、かわされたり頭越しをされたりしないように、相手に対応しなくてはなりません。以下のようにすべきです。

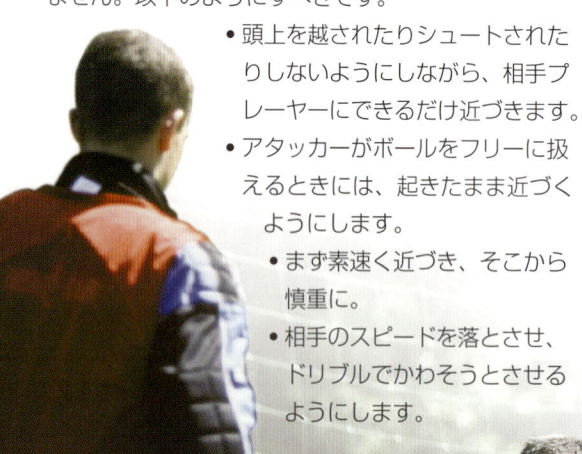

- 頭上を越されたりシュートされたりしないようにしながら、相手プレーヤーにできるだけ近づきます。
- アタッカーがボールをフリーに扱えるときには、起きたまま近づくようにします。
  - まず素速く近づき、そこから慎重に。
  - 相手のスピードを落とさせ、ドリブルでかわそうとさせるようにします。

1対1の状況では

- 前傾の姿勢をとりますが、腰を落としすぎないようにします。
- 身体に力を入れずに立ち、膝と股関節を深く曲げて体重を前にかけます。
- 両足は少し開き目にし、あらゆる方向へ反応できるようにします。
- 腕を下げ、手のひらを前に向けて、膝下の横に。ボールが抜かれるのを防ぎます。
- ボールに集中します。アタッカーのボディフェイントにだまされないようにします。
- 我慢して、相手のアクションを待ち、それに反応します。
- アタッカーがボールをフリーにしたら、素早く反応し、ボールに向かって跳び込みます。
- 横か前に出ます。後ろに跳んではいけません。
- ゴールキーパーは身体を投げ出す場合、必ずボールを奪うかブロックするようにします（「地面に寝転がったゴールキーパーは役に立たない」）。

ゴールキーパーはアタッカーをできるだけ長く止めておき、戻ってくるディフェンダーが間に合うようにし、あるいはプレッシャーをかけてゴールから遠ざけ、コントロールしたシュートをうたれないようにします。

コーチは、フィールドプレーヤーとの典型的な1対1の状況をつくり、ゴールキーパーにこの重要な状況をトレーニングさせるようにします。

1＋1対1、1＋1対2

1＋1対1

「ゴールキーパー＋ディフェンダー対アタッカー」という状況は、基本的に大きく2つに分けることができます。

1. アタッカーがディフェンダーに向かってドリブルしてくる場合

この場合、ゴールキーパーはゴールの中あるいは前で、ディフェンダーがボールを奪うことができるかどうかをうかがって待ちます。アタッカーがボールに触れているときには、慎重にボールの方向に移動し、急なシュートやループに慌てないように構えます。フォワードがボールを足下から離したら、思い切って素早くプレーに関与し、ブロックあるいはセーブします。ゴールキーパーがプレーに関与する場合には、ディフェンダーにそれを知らせなくてはなりません。その場合、ディフェンダーはゴールキーパーの後方に回り、ゴールをカバーします。

◎メモ：実際のトレーニングの内容としては、アタッカーとディフェンダーの1対1の個人戦術を改善させるあらゆる練習形式が、このトレーニングに役立ちます。

2. アタッカーがゴールキーパーに向かってドリブルをしていて、ディフェンダーがそれを追ってきている場合

ディフェンダーがいない場合の1対1との主な相違点は、アタッカーに時間のプレッシャーがかかっているということです（ディフェンダーがすぐ後ろに迫ってきています）。アタッカーは素早く決断を下し、現在の一時的な優位性を活かさなくてはなりません。

ゴールキーパーが、ディフェンダーが戻ってくるまでアタッカーを長く留めることができれば、この状況を解決するチャンスは明らかに高まります。

その場合、ゴールキーパーは、1で説明した方法でプレーします。ゴールキーパーがアタッカーを止めて遅らせている間、ディフェンダーはゴールキーパーを助け、あるいは素速くゴールキーパーの後方に回り込み、ゴールをカバーします。

トレーニング・フォーム

トレーニング1

　2人組になって、ゴール正面20mの位置に入ります。ゴールにはゴールキーパーが入ります。アタッカーAは両脚を開いて、ゴール方向を向いて、コーチ（ボールを持つ）の2m前に立ちます。ディフェンダーBはコーチの2m後ろ。コーチがボールをAの両脚の間を通して出し、それに反応してプレーを開始します。Bは同時にコーチをよけてゴールの方向へ向かいます。Aはシュートをしようとし、Bはそれを防ぎます。Aはゴールキーパーをかわさなくてはなりません。

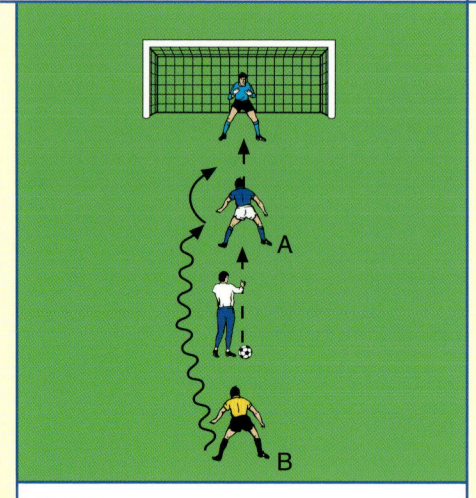

ねらい
- ゴールキーパーとディフェンダーの連携。
- アタッカーを迎え撃ちます。

バリエーション
1. Aは好きなようにフィニッシュしてよいとします。
2. 2人組み（アタッカーとディフェンダー）がゴール前に左右横に並んでスタート。
3. Bがボールを奪ったら、Bは5mのゴール（あるいはコーンゴール、またはマーカーで記したライン）にカウンターアタック。Aはディフェンダーとなります。
4. コーチはボールをAの頭越しに投げます。
5. Aはコーチの前にゴールを背にして立ちます。コーチがボールをAの両脚の間を通して出したら、素速くターンしてボールへ向かってスタート。

トレーニング2

　トレーニング1と同じ。
　アタッカーAとディフェンダーBは、4mの間隔をあけてゴールに向かって立ちます。コーチはボールを持って、Aの3m前に立ちます。コーチとAが1タッチでグラウンダーのパスをかわします。コーチの合図でAはボールを持ってゴールへ向かい、ドリブルからシュートをねらいます。Bはそれを防ぎます。

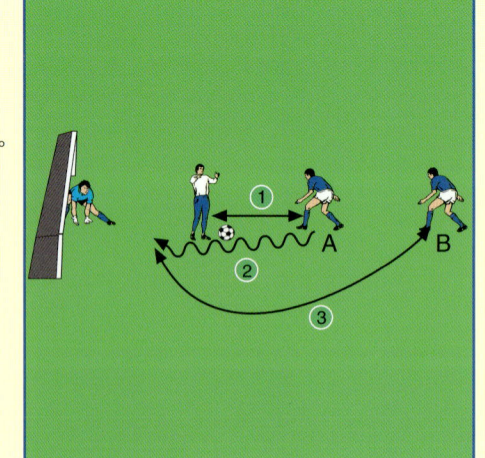

ねらい
- トレーニング1と同じ。

バリエーション
1. Aは好きなようにフィニッシュしてよいとします。
2. 2人組（アタッカーとディフェンダー）がゴール前に左右横に並んでスタート。
3. Bがボールを奪ったら、Bは5mのゴール（あるいはコーンゴール、またはマーカーで記したライン）にカウンターアタック。Aはディフェンダーとなります。
4. コーチはボールをAに左右交互に投げ、ボレーキック。

3章 ゴールキーパーの戦術の基本要素

トレーニング3

　コーチの横左右に、3m幅のコーンゴールを1つずつ作ります。コーチは左右のコーンゴールにボールを出します。プレーヤーAはコーンゴールのボールに向かってスタートし、ボールを受けてゴールに向かいます。プレーヤーBは反対のコーンゴールを通ってAを追います。

バリエーション

1. 2人のプレーヤーは、さまざまな体勢からスタートしてボールに向かいます（例：腹ばい、長座等）。
2. 2人のプレーヤーは、さまざまなコーディネーション課題をこなしてから（例：前転あるいは後転から。1回転ターンから）ボールに向かってスタートします。

ねらい

- トレーニング1と同じ。

トレーニング4

　プレーヤーA、Bがそれぞれコーンゴールの前に立ちます。両コーンゴールの中央にボールを置きます。コーチの合図（AまたはB）で、両プレーヤーはスタートし、自分の前のコーンゴールを通ってゴールに向かいます。コールされたプレーヤーが自分のコーンゴールの中に置かれたボールを持ち、アタッカーとなります。

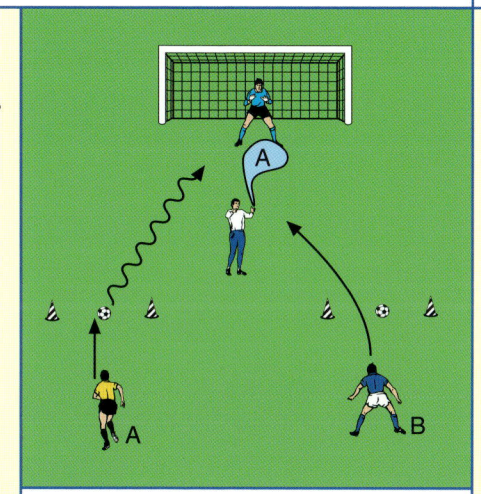

バリエーション

1. コールされたプレーヤーがディフェンダーとなります。
2. コーチは手で合図するのみ。
3. 各プレーヤーの後方2mの位置にもう1個コーンを置きます。2人はまずそのコーンを回ってから、自分のコーンゴールに向かってスタート。
4. 合図で、コールされたプレーヤーはボールに向かってスタートし、コーチにパス。ワンツーのリターンを受けます。アタッカーは走りながらそれを受け、ドリブルでゴールに向かいます。

ねらい

- トレーニング1と同じ。

アタッカーへのスルーパスに対して

アタッカー対
ディフェンダー＋ゴールキーパー

　ゴールキーパーは、ディフェンダーがアタッカー（ゴールを背にしている）に対して、パスの際に対応できるかどうかを判断します。

　シュートあるいはドリブル突破の危険は、まずはないとします。その場合は、ゴールキーパーはゴール前から数mで構え、慎重に1対1の状況、あるいは近くの周囲の状況を観察します。ディフェンダーとアタッカーの動きに応じてポジションを変えます。

　アタッカーがパスの際にゴール方向にターンでき、ゴール方向に向かった1＋1対1の状況ができるか？（その場合には前のページのトレーニングフォームへ）。

　短距離からのシュートの危険が大きい場合、ゴールキーパーは膝を深く曲げて構え（待ちねらう構え）、アタッカーがディフェンダーをかわしてゴールに向かってくるかどうかに注意します。意外性のあるシュートとループシュートに備え、ゴールからあまり離れないようにします。

　アタッカーは、パスの際にゴール方向にターンして、すぐにシュートをうつことができるか？

　ゴールキーパーはアタッカーに向かって1歩進み、構え、シュートに対して準備します。アタッカーがすぐにシュートをうってこなかったら、ゴールキーパーはアタッカーとの距離をつめようとします。

　ゴールキーパーが、スルーパスをキャッチできるようなポジションをとるか？

　ゴールキーパーは、できるだけ多くの範囲をカバーするためには、ゴール前から離れてポジションをとるようにしなくてはなりません。その場合、アタッカーにループで頭越しをされないようなポジションをとります。そのためには、膝を深く曲げて待ち構えた体勢から、スルーパスの方向に素早くスタートできるようにしなくてはなりません。

　そして、ゴールキーパーは、飛び出すかどうかを素早く決断しなくてはなりません。この決断は、パスの距離と強さ、そして味方および相手プレーヤーのポジションによって決まります。縦パスがなく、ボール保持者がゴールへ近づいてきたら、ゴールキーパーは細かいステップで、ゴール方向に戻ります。アタッカーがボールに触っていたら、ゴールキーパーは構えて準備します。

トレーニング・フォーム

トレーニング1

ペナルティエリアの外に、コーンで16m×10mのフィールドを作ります。ペナルティエリアのラインの延長上に、GKから見て、左にディフェンダー、右にアタッカーAが立ちます。アタッカーBは、ボールを持って、フィールドの外の、両プレーヤーの間、ゴールから35mの距離のコーンのところに立ちます。プレーが始まったら、Aは少しBに向かってフリーランニングをしてボールを要求します。ディフェンダーはすぐにフィールドに入り、Aを止め、シュートあるいはゴールへの突破を防ぎます。

ポイント
- 1対1を観察します。
- シュートに対し準備します。
- スルーパスが出たら、キャッチします。

バリエーション
1. ディフェンダーはペナルティエリアのライン上、ゴール正面に立ち、そこからフィールドに入ります。
2. ディフェンダーはAのすぐ後ろのコーンのところに立ち、フリーランの動きの瞬間にフィールドに入ります。
3. Aはボールをもう1度Bに返してから、もう1度もらい直します。

トレーニング2

ペナルティエリアの外に、コーンで16m×10mのフィールドを作ります。ペナルティエリアの延長上に、GKから見て、左にディフェンダーがボールを持って入ります。右にアタッカーAが入ります。アタッカーBはフィールドの外の、両プレーヤーの間、ゴールから35mの距離のコーンのところにボールを持たずに立ちます。ディフェンダーはボールをグラウンダーでBに出します。パスを合図にAはスタートし、フィールドに入り、Bからボールを受けようとします。Aがゴール方向にスタート。BはAを止め、シュートを打たれないようにします。

ポイント
- トレーニング1と同じ。

バリエーション
1. ディフェンダーは、ペナルティライン上、ゴール正面に立ち、そこからボールをアタッカーBに出します。
2. ディフェンダーは、Aのすぐ後ろのコーンのところに立ち、そこからボールをアタッカーBに出します。

トレーニング3

　ペナルティエリアの外に、コーンで16m×10mのフィールドを作ります。アタッカーAは、GKから見て、フィールドのゴールに近いほうの左のマーカーのところに立ちます。ディフェンダーは右のマーカーのところに立ちます。アタッカーBは、ボールを持って、フィールドの外、両プレーヤーの間に立ちます。Aが少しフリーランニングでフィールドに入り、Bからグラウンダーのパスを受けてプレー開始。Aのフリーランニングの瞬間に、ディフェンダーもフィールドに入ります。

ポイント
- トレーニング1と同じ。

バリエーション

1. 両プレーヤーは、さまざまな体勢からスタートします（例：腹ばい、あおむけ等）。
2. Aのコーディネーション課題（例：前転）からスタート。ディフェンダーはそれと同じことをしてからフィールドに入ります。
3. Aとディフェンダーは前後に並んで立ち、ディフェンダーはBのパスの瞬間にフィールドに入ります。

1＋1対2

ゴールキーパー＋ディフェンダー対2人のアタッカー

　ディフェンダーはボール保持者を止め、ゴール方向への直接の突破やシュートを防ぎ、パスを困難にしなくてはなりません。まず優先することは、アタッカーを行き詰まらせること、そして自分自身のスタートポジションをよりよくすることです。

　これと並行して、ゴールキーパーはアタッカーに向かって動き、直接のシュートやループを蹴られないようにします。同時に、ボール保持者が味方にパスを出す場合に、それに対して有利なポジションをとれるようにします。

　パスが出されたら、ゴールキーパーは、パスを受けるプレーヤーを止めるために急いでゴールから出るのか、あるいはディフェンダーがよりよいポジションから素速く移動できるのかを判断しなくてはなりません。ゴールキーパーは自分の判断を、手短に簡潔に伝えます。

　ゴールキーパーが自分でアタッカーをストップしにゴールから出る場合、ディフェンダーがゴールをカバーしなくてはなりません。そして、シュートをブロックし、あるいはボール保持者が新たにパスを出したらそれに対応できるようにしなくてはなりません。

　パスが出されたら、ディフェンダーは、自分がゴールから出てアタッカーを止めるのか、あるいは、ゴールキーパーがよりよいポジションから素速く移動することができるのかどうかを判断します。

- いずれにせよ、ディフェンダーはゴールキーパーに自分の判断を手短に伝えます。

◎**注意**：常により後方にいるプレーヤーが判断し、指示を出します。

トレーニング・フォーム

トレーニング

　ペナルティエリアの外に、15m×15mのフィールドを作り、アタッカーAとディフェンダーCが入ります。もう1人のアタッカーBは、ボールを持って、このフィールドの外に立ちます。

　AがBの方向にフリーランニングをしてプレー開始。BがAにパスを出したら、フィールドに入り、ゴールに対して2対1＋ゴールキーパーとなります。

ポイント

- プレーに関与するのに有利なスタートポジションをとります。
- ディフェンダーとの連携（手短な指示）。

バリエーション

1. Aがボールを1タッチでBに返してから、攻撃開始。
2. Aのフリーランニングの後、Bはボールを持ってフィールドに入り、自分で、ボールをAにパスするかどうか判断します。
3. AとBが2人ともフィールドの外からスタート。
4. ゴールキーパーとCは、ボールを奪ったらラインゴールにカウンターアタック。
5. ゴールキーパーとCは、ボールを奪ったら、5mゴール（ゴール前にペナルティエリア×2のスペース）にシュート、パス、浮き球、スローで通したら1点。

空中戦の1対1について

ゴールキーパーのプレー

　この状況は、前方からの高めのシュートあるいはクロスの際に、ゴールキーパーがゴールを離れる状況で起こります。可能性としては、以下の対応があります。ゴールキーパーは、ボールをキャッチするか、あるいは、ゴール前に何人かの相手プレーヤーが残っていてキャッチの際にボールを失う危険が高すぎる場合には危険なエリアからはじき出そうとします。

　両方の状況に以下のアドバイスが当てはまります。その際、状況を以下の3種類に分類しています。
ａ）相手プレーヤーがいて、ボールがそのプレーヤーの位置に飛んでくる場合。

　これは最も簡単な状況です。ゴールキーパーがボールに向かった前方への動きからボールに対して出ればいいからです。
ｂ）ボールが、ゴールキーパーと、ゴール方向へ走ってくる相手プレーヤーとの間に飛んでくる場合。

　これはより難しい状況です。両者とも互いに前方への動きでボールに向かおうとしています。この場合、ゴールキーパーは、相手から遠いほうの足でジャンプし、反対の足を軽く引きつけ、相手プレーヤーとの距離を保とうとします（ルールで許容される範囲で）。
ｃ）ボールがゴールキーパーのいる位置に向かって飛んでくる場合。

　これは非常に難しい状況です。相手プレーヤーが前方への動きからボールに対して向かってきます。この場合は、ゴールキーパーが細かく素速いステップでまず後方に下がり、そこからボールに対して同様に前方への動きで跳べるようにすることを勧めます。

　原則は、フィスティングよりもまずキャッチを考えることです。すなわち、ゴールキーパーは高いボールに対して、第1の選択肢として確実にキャッチすることを考えるべきです。フィスティングは常にその場をしのぐ次善の方策でしかありません。ディフレクティングのトレーニングは、キャッチのテクニックをしっかりとマスターしたうえで行うようにします。

　空中戦の1対1の際のゴールキーパーの専門的なプレーの習得のための、年齢に即したさまざまなトレーニング・フォームを、第4章以降で紹介しています。
　これらの目標は以下のとおりです。
1. サイドあるいは正面からのハイボールを確実にキャッチする（相手プレーヤーあり・なしで）。
2. 空中戦でのボディコンタクトに慣れる。
3. 空中戦を制する。
4. 空中戦を制した後、適切に次のプレーに移る。

バックパスの際のプレー

トレーニングのための意義

　バックパス・ルールはまだ歴史が浅く、ゴールキーパーは、プレッシャーの中でバックパスされたボールをクリアしたり、不正確なバックパスで時間と相手のプレッシャーを受けながらコントロールしなくてはならなくなることがしばしばあります。このような状況があるにもかかわらず、実際には、ゴールキーパーがボールを受ける、パスをする、といったテクニックの練習が少なすぎるのが現状です。

　当然のことながら、ゴールキーパーを完璧なフィールドプレーヤーに育て上げることはできません。しかし、プレー能力が高くボール扱いの確実なゴールキーパーは、どんなチームにとっても非常に大きな戦力となります。オランダの例を挙げましょう。オランダでは、ゴールキーパーは、ユースの年代から、11人目のフィールドプレーヤーとしてチームのプレーの組み立てに徹底して組み込まれるようになっています。結論として、ユースのゴールキーパーたちにトレーニングの中で全般的なサッカーのテクニックを身につけさせることは、検討に値することです。最低でも、ゴールキーパーはU-10、U-12年代では定期的に、U-10であれば試合で、またU-12であればトレーニングで、フィールドプレーヤーとしての育成を受けさせるべきです。

ゴールキーパーは何を習得していなくてはならないか？

　ゴールキーパーは、ボールを思うようにプレーできるようにするためには、ボールテクニックを十分に身につけていなくてはなりません。少なくとも、ボールを受け、持ち出すことを習得しなくてはなりません。両足で、インサイドおよびインステップで、グラウンダーとハイボールが蹴れるようになるべきです。

- 両足で蹴れることは、ゴールキーパーにとっても有利となります。
- テクニックがしっかりしていれば、ゴールキーパーは自信をもってプレーできるようになります。

　ゴールキーパーがバックパスを受ける際に有利なスタートポジションをとるためには、味方プレーヤーはどのようにすればよいのでしょうか。危険な状況になるのを避けるためには、以下の単純な「原則」を考慮するようにします。

1. ゴールキーパーと相手プレーヤーの間の距離を大きいままにしておくためには、ゴールキーパーに対し、できるだけ早く、グラウンダーでパスを出します。
2. ゴールキーパーに対し、利き足のほうにパスを出します。
3. ゴールキーパーがボールを持ち直さずにすぐにパスを出せるように、ゴールキーパーの横に出します。
4. ゴールキーパーのテクニック能力を考慮します。バックパスの強さと方向が、ゴールキーパーの能力に対し難しすぎないようにします。
5. ゴールキーパーにバックパスを出したら、すぐにまたフリーになり、パス出しの選択肢のひとつになるようにします。
6. ミスがあっても、精神的に立て直すようにします。

ゴールキーパー自身は、以下の点に留意します。
1. 声を出してプレーを指示します。状況に応じてバックパスを要求するか、あるいは「拒否」するか。
2. プレー状況を予測します。バックパスをタイミングよく要求し、パスコースを探します。
3. 自信を示します。
4. ボールに最大限集中します。味方と相手の状況を観察します。
5. リスクを冒さないようにします。常に最もシンプルで最も確実な解決策を選びます。
6. プレッシャーがかかっていても、状況に応じて適切に判断をします。
7. ゴールの横に出てバックパスを受けるようにします。
8. ボールをできるだけ早く確実に受けます。
9. バックパスが不正確な場合、まず横に動き、それから前に出るようにします（それによって、確実にボールの後ろに入ります）。
10. 次のプレーをどのようにするか、素早く判断します。
11. 味方に正確につなぎます。可能であればグラウンダーで。
12. 空いたゴールの前では横パスを通すことは避けます。

ファーストタッチは非常に重要な意味をもちます。キックを確実に素速く実行できるようにするためには、ボールをファーストタッチで前にプレーするようにします。

バックパス・ルールに対する練習フォーム

テクニック（ボールを受ける、両足のインサイド、インステップで確実なパスをする）を習得するためには、各年齢段階のウォームアップ・プログラムのゲームおよび練習フォームが適しています。

ここで紹介するトレーニングは、あらゆる年代で取り入れることが可能です。その際には、各年齢段階ごとに、強度と難易度に関しての原則を考慮するようにします。

両足を素速く動かす

トレーニング 1

2人のゴールキーパーとコーチでトレーニングします。GK1はコーンの前に立ちます。その斜め前左右にコーンをさらに1個ずつ置きます。コーチとGK2は、GK1の斜め前左右のコーンから8mの距離にそれぞれ立ちます。GK1は右のコーンまで出てきて、コーチから出されたグラウンダーのボールを1タッチで返します。次に、素速いバックステップで中央のコーンまで戻り、また前方左のコーンに出てきてGK2からのグラウンダーのパスを左足1タッチで返します。

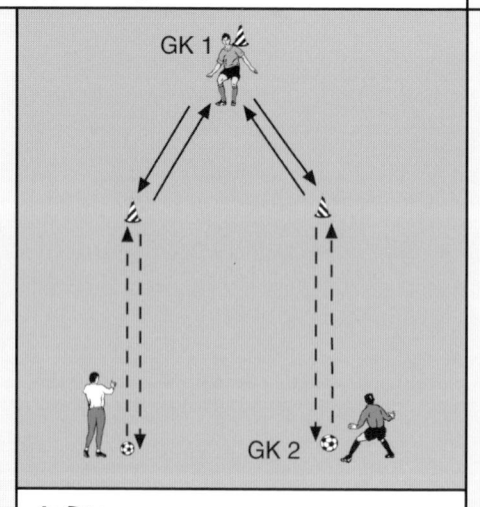

ねらい
- 両足を使えるようにします。
- 足を素速く動かせるようにします。

バリエーション

ボール1個だけで行います。コーチが出したボールを右足で斜めにGK2にパス。中央のコーンに戻ってから左のコーンに出て、受けたボールを今度は左の足で斜めにコーチにパス。

ゴールキーパーの戦術の基本要素　3章

トレーニング2

　2人のゴールキーパーとコーチでトレーニングします。GK1はコーンの前に立ちます。その斜め2m前左右にコーンを1個ずつ置きます。コーチ（ボールを持つ）とGK2（ボールなし）は、GK1から8m離れた左右に立ちます。

　コーチがボールを出し、GK1は左のコーンに走ってきて、左足で1タッチでGK2にボールを出します。続いてバックステップで中央のコーンまで戻ります。次に、GK1は右のコーンまで出て、GK2からのパスを右足1タッチでコーチに出します。

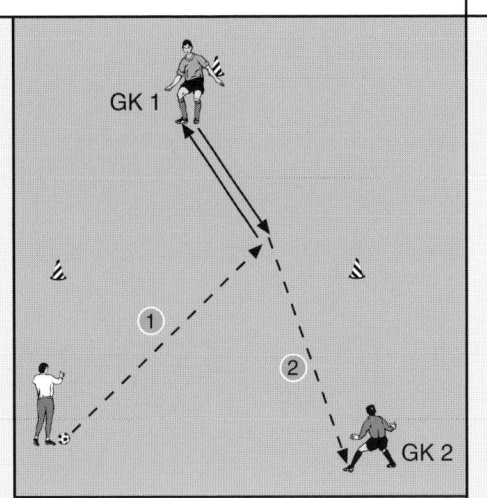

ねらい
- トレーニング1と同じ。

バリエーション
　GK1は、中央のコーンを回ります。

トレーニング3

　トレーニング2と同じ。
　コーチはボールをグラウンダーでGK1に出します。GK1は右足で1タッチで返し、中央のコーンまで戻って、再び前方へスタートします。コーチはボールを再びGK1の右足に出します。GK1はこのボールを斜めにGK2に出し、中央のコーンまで戻ります。再び同様に反対のサイドで行います。

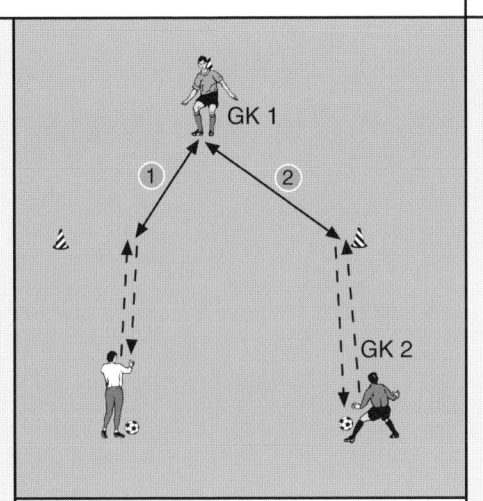

ねらい
- トレーニング1と同じ。

バリエーション
　ダイアゴナル（斜め）のボールは1タッチではなく、1回止めて、セカンドタッチでプレーします。

ゴールを使わない練習フォーム

トレーニング1

4人のゴールキーパーでトレーニングします。4個のコーンで5m×10mの大きさの四角を作ります。それぞれのコーンにGKが1人ずつ入ります。GK1がボールを持ち、右足インサイドでGK2にパス。GK2はボールを左足で受けて、右足で右斜め前のGK3にパスします。GK3は右足でこれを受け、左足でGK4にパスします。GK4はこのボールを右足で受け、左足でGK1に斜めに出します。GK1は左足で受け、右足でGK2にパスします。

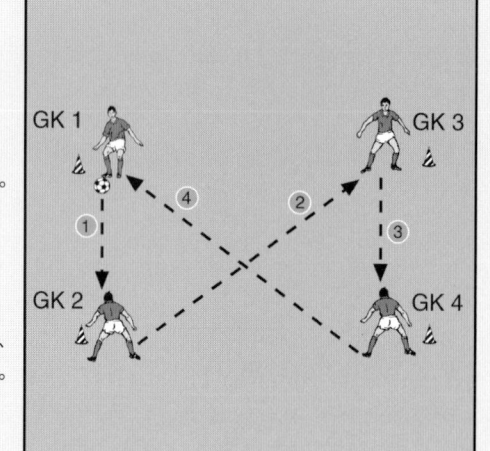

アドバイス
- 数回行ったら、ポジションと課題を交代します（プレー方向を変えることもできます）。

バリエーション

1. ボールを2個使ってプレーします。GK1と3から同時にプレーを開始します。
2. GK1と4、GK2と3がペアとなってプレーします。1と2がボールを1個ずつ持ちます。彼らはインサイドのグラウンダーで斜め前のパートナーに出します。ボールを1タッチで受け、斜め前にボールを出し、パートナーに再び返します。GKは、もう1つのペアのボールにぶつけないように、正確なパスを出さなくてはなりません。コーチがどちらの足で受け、どちらの足でパスを出すか、指示を出します。

トレーニング2

ゴールキーパーの前にコーンを4個置いて3つのコーンゴールをマークします（3m、2m、3m幅）。コーチはボールを持って、そこから5mの距離に立ちます。コーチが中央のゴールを通してパスをしたら、GKはファーストタッチでボールをサイドに出して、別のコーンゴールを通してコーチに返します。コーチがボールを左のゴールを通して出したら、GKはそれを左足の1タッチで返します（右の場合は右足で）。

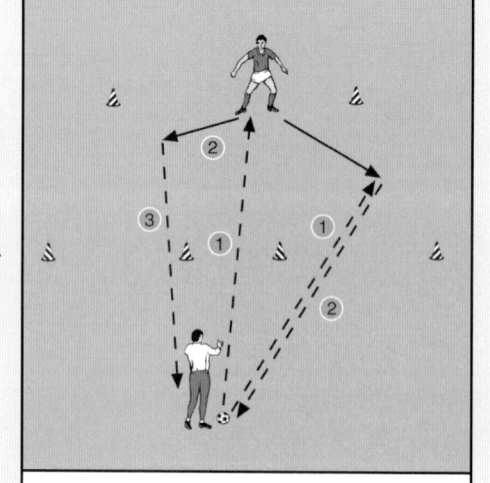

ねらい
- 両足を使えるようにします。
- ボールを受け、持ち出します。

バリエーション

コーチはボールを投げます。中央のコーンゴールを通ったボールはヘディングで返します。左右のコーンゴールを通ったボールはボレーで返します。

トレーニング3

3m×3mのフィールドを2つ作り、GK1とGK2はそれぞれその中に入り、10mの間隔で立ちます。1はボールをグラウンダーで2に出し、2は左足でそれを受けて持ち出し、フィールドの外に出て、右足のグラウンダーで1のフィールドの外に返します。1は走って出て、ボールを左足で自分のフィールドに戻し、右足で2にパス。2は右足でボールを受け、反対のサイドに持ち出し、フィールドの外から左足で1のフィールドの外にパス。1は右サイドに動いてゴールを右足でフィールドの中に戻し、左足で2にパス。以下同様に続けます。

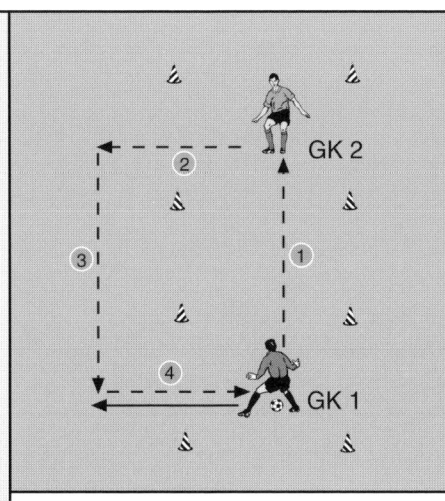

ねらいとアドバイス
- 両足を使えるようにします。
- 数回行ったら、役割を交代します。

バリエーション
1. 常に同じ足で出し、パスをするようにします。
2. ボールを、インサイドあるいはインステップでパスします。
3. 浮いたボールでフィールド内に入れます。それを複数回のコンタクトでボレーで相手に返します。ボールはフィールドの外で受けても構いませんが、フィールド内でプレーするようにします。

トレーニング4

3人のゴールキーパーでトレーニングします。GK1がコーンの前に立ちます。GK2と3は、斜め前左右約10mの距離の位置にコーンを置き、そこに立ちます。1は横に動き、2からのグラウンダーを受けます。このボールを右足で受け、左の前に出し、左足で3に出します。次に、1は自分のコーンに戻り、今度は左に出てグラウンダーを受けます。このボールを左足で受け、右足で2にパス。以下同様に続けます。

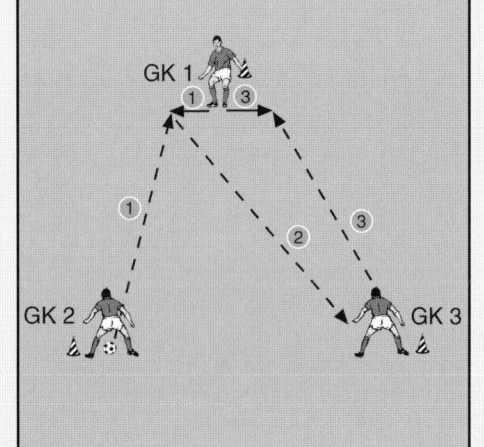

アドバイス
- ボールを反対のサイドにプレーする場合、GKは2タッチ以内でプレーするようにします。ボールを受け、持ち出し、パスします。

バリエーション
1. ボールをGK2あるいは3に、1タッチで出します（左右交互）。
2. 距離を広げ、GK2と3からのパスはグラウンダーまたは浮き球。GK1は浮き球あるいはグラウンダーでパス。

トレーニング5

コーンで1辺25 mの三角形を作り、3人のゴールキーパーがそれぞれコーンの位置に立ちます。3人のGKはボールをインサイドでグラウンダーでパスします。ボールは片方の足で受け（左または右）、反対側の足でパートナーにパスします。全員がボールをファーストタッチで斜め前に出し、次のタッチでボールを出せるようにします。2タッチで行えるとベストでしょう。

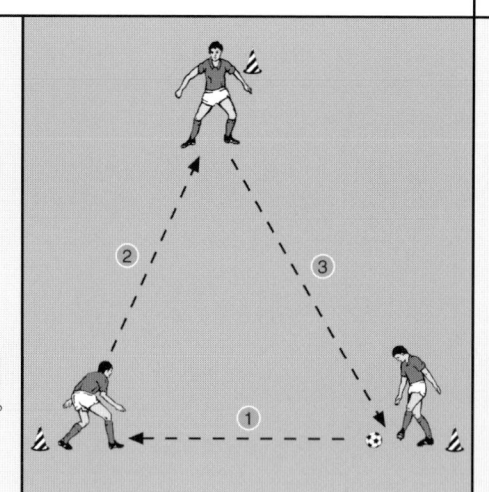

バリエーション

1. 1人のGKがボールを受けたら、すぐにコーチが声でパスの種類を指示します（「グラウンダー」「浮き球」）。

GKは素早くそれに反応しなくてはなりません。

2. ボールをライナーでプレーします。不正確なパスが来たときには、まず横に動き、それから前に動くようにすることが重要です。

3. 2～3個のボールで同時にプレーします。

アドバイス

- 数回行ったら、方向を変えます。GKはボールを受け、持ち出し、利き足と苦手な足の両方でパスを出す練習をします。

トレーニング6

30 mの距離で、コーンを横に7 m間隔で置きます。GK1とGK3がそれぞれゴールの中に立ち、GK2が中に入ります。1がボールをグラウンダーで2にパス。2は1タッチで1の少し横に返し、ターンします。1は右足のインステップで1タッチで3の左足にグラウンダーで出します。3はこれをできるだけ1タッチで2に出します。2はこれを1タッチで3の少し右横に返し、ターンして1の方向を向きます。3はこれを1タッチで右足のインステップで1の左足にパス。以下同様に続けます。

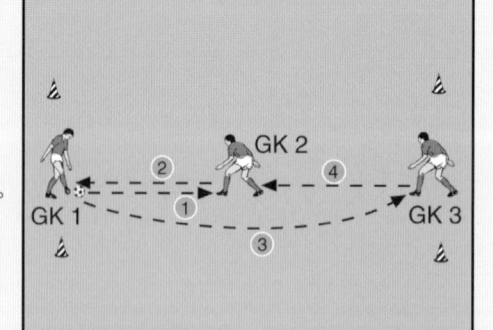

バリエーション

GK1とGK3の間のロングパスを浮き球で行います。GK2へのパスは、グラウンダーで出します。

アドバイス

- 数回行ったらポジションを替え、次にプレー方向を変えます。今度は左足でプレーします。

トレーニング 7

　4人のゴールキーパーでトレーニングします。大フィールドのハーフコートに7m幅のコーンゴールを4つ作り、それぞれGKが1人ずつ入ります。2個ずつが互いに対面するようにします。ゴールラインとハーフラインにゴールAとC、両サイドラインにBとDが来るようにします。反時計回りでプレーします。GK1はボールを左足で前に出し、右のインステップでグラウンダーでGK2にパス。GK2はこれをゴール前で左足で受け、持ち出し右足でGK3にパス。GK3はこれをゴール前で左足で受けます。以下同様に続けます。

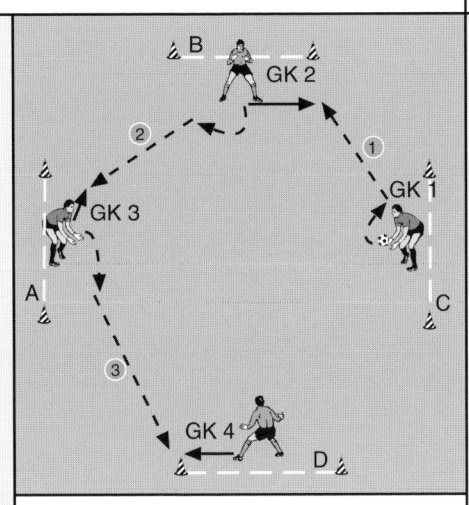

バリエーション

1. ボールを同時に2個使ってプレーします。GK1と3がボールを1個ずつ持ちます。
2. パスの種類を変えます。ライナーやハイボールにします。
3. コーンゴールは3個のみ。各自ボールを出した後、それをフォローして次のゴールへ動きます。
4. GKをさらに入れて行うこともできます。各自ボールを出した後、それをフォローして次のゴールへ動きます。

アドバイス

- 数回行ったら、プレー方向を変えます。

トレーニング 8

　トレーニング7と同じ。
　ゴールキーパー1と2、3と4がそれぞれペアとなります。各ペアにボール1個ずつ。各ペアの1人がインサイドで強いグラウンダーのパスを出してスタートします。

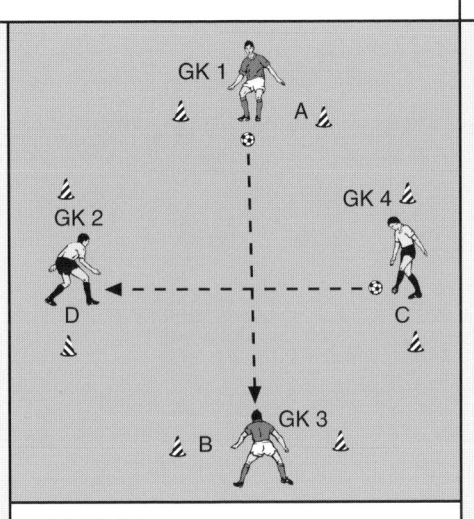

バリエーション

　同時に4個のボールを使って行います。その際、2人はグラウンダーで、別の2人は浮き球で行います。このトレーニングはGKのテクニック練習としては高度なものとなります。

アドバイス

- ボールを左右交互で受け、反対の足でパスします。
- 両ペアとも、同時に行います。ボールがぶつからないよう注意します。

ゴールを使った練習フォーム

トレーニング1

2人のゴールキーパーでトレーニングします。GK1が、ゴール前3mの位置に立ちます。その前5mの位置にコーンで10m幅のラインをマークし、その上をGK2が動きます。コーチはボールを持って、ゴールから20mの位置に立ちます。コーチがGK1にグラウンダーでパスします。GK2が視野をさえぎります。GK2はコーンの間を動いて、ボールを自分の両脚の間あるいは身体のすぐ近くを通します。GK1はボールを確実に受け、持ち出し、コーチにパスを返します。

アドバイス
- 数回行ったら、役割とポジションを交代します。

バリエーション

1. GK1はボールをコーチに返すのではなく、まずGK2に出し、GK2からのリターンを受けて、コーチに1タッチで返します。
2. 1と同様。GK1はライナー（浮き球）のパスを出します。
3. GK2の前3mの位置の中央にコーンを1個置きます。コーチがボールをゴール方向に蹴ったら、GK2は走り出してコーンを回り、GK1を攻撃します。

トレーニング2

大ゴールの前に大きな四角形（9m×7m）のフィールドを4つ作ります。ゴールキーパーは図のようにポジションをとります。コーチはゴール前25mの距離に立ちます。コーチはボールをグラウンダーで前の2つのフィールドのうちの1つの中へ、あるいは浮き球で後ろの2つのフィールドの中へ出します。グラウンダーのボールは1タッチで返します。浮き球はまず受けてから、グラウンダーあるいは浮き球でコーチに返します。常にGKは1回ごとにゴール前中央に戻ります

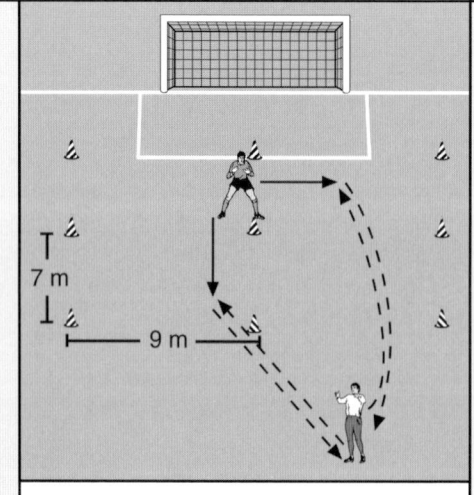

ねらい
- 全般的なテクニックの習得。
- 浮き球を確実に受けるようにします。

バリエーション

1. 2人のGKで行い、1人がディフェンダーとなり、軽くプレッシャーをかけます。
2. 2人のGKで行い、1人が右前のフィールドに入ります。コーチはボールを左前のフィールドに出します。2人めのGKがこのフィールドの中で動き、1人めのGKを攻撃します。

3章 ゴールキーパーの戦術の基本要素

トレーニング3

3人のゴールキーパーでトレーニングします。GK1が大ゴールの中央に入ります。GK2と3がボールを持って、ゴールライン上、両ポストの延長の位置にパサーとして入ります。コーチもボールを持って、同じラインのゴール前中央に入ります。

GK1はサイドステップで右に動き、GK2から出されたボールをグラウンダーで返します。コーチが左サイドにグラウンダーで出したボールに飛び込みます。そのボールをコーチにアンダーハンドのグラウンダーで返し、再びゴール中央に戻ります。今度は、反対のサイドで同様に行います。両サイド3回ずつ行ったら休憩をとり、役割を交代します。

アドバイス
- GK1人だけの場合、フィールドプレーヤーがパサーの役割を果たします。
- ゴール内のGKも2人のパサーも、ボールを正確にパスします。

トレーニング4

3人のゴールキーパーとコーチでトレーニングします。GK1はゴールエリアのライン上、ゴールを背にして、ゴールの左斜め前に立ちます。そこから5mの位置にGK2がボールを持って立ちます。PKのポイントに、2m幅のコーンゴールをマークします。そのすぐ後ろにGK3、ゴールの右斜め前7mの位置にコーチがボールを持って立ちます。2が1の左足にグラウンダーを出します。1はそれを1タッチで右前に、コーンゴールを通して3にパス。直後にコーチが右サイドに出すパスに飛び込みます。

6回行ったら、ポジションと役割を交代します。各ゴールキーパーが1セットを行ったら、逆サイドで同様に行います。間に休憩をとります。

ねらい
- 全般的なテクニックの習得。
- ゴールキーパーの専門的コンディションの習得。

トレーニング5

2人のゴールキーパーとコーチでトレーニングします。GK1が大ゴールに入ります。その前に3個のコーンを1列に置きます。コーチはボールを持って10mの位置、GK2はボールを持ってコーンの横5mの位置に入ります。コーチがGK1の左足にグラウンダーのパスを出します。そのボールを右に持ち替えてドリブルでコーンのコースを通過。そしてコーチにグラウンダーのパスを出します。GK2が山なりのボールをゴール方向に投げます。GK1は走って戻り、そのボールをディフレクティングでゴールからそらします。コーチは次のボールをドロップキックでGK1に出します。

アドバイス

- 1回ごとにボールを別の足で受け、ドリブルします。
- 数回行ったら、GKのポジションと役割を交代します。

トレーニング6

ゴールキーパー1人とコーチでトレーニングします。GKは大ゴールのゴールライン上に入り、腕を伸ばして手で左ポストに触ります。コーチはボールをいくつか持って、ゴール正面約6mの位置に入ります。コーチは最初のボールをグラウンダーで右ポストの方向に出します。GKはスタートして、このボールに飛び込んでセーブし、すぐに起き上がって、コーチが逆サイドに出した2個めのボールに飛び込みます。

数回行ったら、逆のポストから行います。

アドバイス

- GKは、最初のボールをゴールのサイドのゴールライン内に、ディフレクティングします。ゴール隅の少し横にいる別のGKのところを目標とします。

バリエーション

1. GKは腹ばいになって、右のゴールポストのほうを向きます。ライナーで出されたボールにダイビングします。
2. GKは最初に右に出されたボールをクリア、次に左に出されたボールをクリアし、サイドに出されたグラウンダーのボールに飛び込みます。
3. GKは、短い間隔で出される6個のボールをターゲットゴールにクリアします。ターゲットゴールは、さまざまな距離にコーンでマークします。3個は右に、3個は左にクリアします（GKの専門的持久力の養成）。

ゴールキーパーの戦術の基本要素　3章

トレーニング7

　ゴールキーパー1人とコーチでトレーニングします。GKはコーチに背を向けて、ゴールの中央、ゴールから8mの距離に立ちます。コーチはボールをいくつか持って、ペナルティーポイントの位置に入ります。コーチはボールをGKの右を通してゴール方向へ。GKはスタートして、右サイドへクリア。素速く起き上がって、反対側にライナーで出されたボールにダイビング。コーチは次のボールをGKの左へ出します。以下同様に続けます。

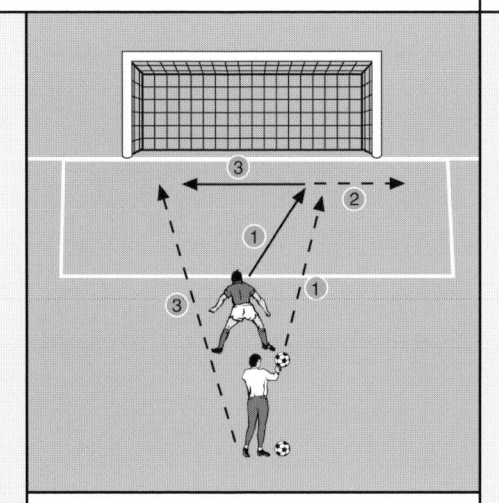

バリエーション

コーチはボールを任意の順番でGKの左右に出します。

トレーニング8

　ゴールキーパーはゴール前正面、ペナルティスポットの位置に立ちます。そこから30mの距離、左右斜め前に、ゴールを置くか、あるいはマークします。そこに1人ずつGKが入り、ボールを受けます。コーチはボールをいくつか持って、GKから15mの位置に入り、そこからさまざまなボールを出します。GKはできるだけ早くボールを受け、両ターゲットゴールにパスします。

バリエーション

1. GKは、ターゲットゴールに必ず1タッチで蹴らなければなりません。
2. GKに1人の相手プレーヤー（2人めのGK）がプレッシャーをかけます。

63

トレーニング9

3人のゴールキーパーでトレーニングします。GK1は大ゴールに入ります。GK2は、ゴール前20ｍの距離に7ｍ幅のコーンゴールを作り、その後ろに立ちます。GK3はボールをいくつか持って、ゴールの後ろ15ｍの位置に入ります。GK3は、ゴールを越えてGK2へボールを出します。GK2はコーンゴールの前でボールを受け、正確なインステップキックでゴールへ蹴ります。シュートをうったら、ポジションを交代します。

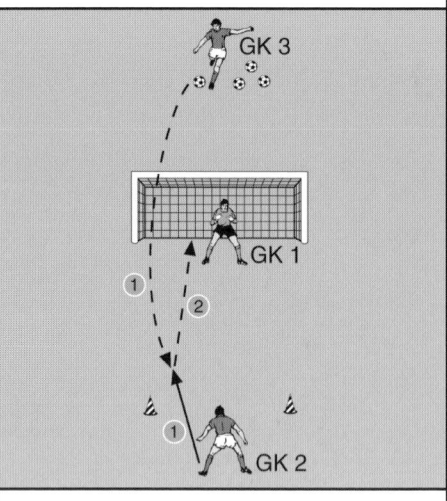

アドバイス
- GK2のポジションは、フィールドプレーヤーが行っても構いません。

バリエーション

GK3は、ボールを手からのボレーキック、ドロップキック、あるいはスローイングで出します。GK2は、GK1との1対1からシュートをねらいます

トレーニング10

GK1は、ゴールエリアのライン上、ゴール正面に立ちます。コーチはボールをいくつか持って、その3ｍ前に立ちます。ゴール前の中央18ｍの距離にGK2がボールを持って立ちます。コーチはボールを左右交互にグラウンダーでGK1の横に出し、GK1はサイドステップで動いて、ボールに近いほうの足で1タッチで返します。コーチは不規則な間隔でGK1が横に飛び込まなくては届かない距離にボールをグラウンダーで投げ、GK1はそれを防ぎます。この瞬間、GK2はインステップキックで正確に蹴ります。GK1は素速く起き上がって、このボールをセーブしようとします。シュートが2本決まったら、役割を交代します。

バリエーション

コーチは、ボールをGK1のサイドへのグラウンダーではなく、ライナーで投げます。GK1はボレーでコーチに返します。コーチはすぐに高い頭越しのボールを出します。GK1はこのボールをキャッチ（コーチは相手プレーヤーとなり、軽く、あるいは全力でプレッシャーをかけます）、2に手でグラウンダーのボールを出します。GK1がボールをキャッチしたら、GK2はインステップキックで正確にシュートをねらいます。

3章 ゴールキーパーの戦術の基本要素

トレーニング 11

GK1はペナルティポイントの辺りに立ちます。コーチはボールをいくつか持って、GK1の斜め左前5mの位置に入ります。GK1の斜め右前15mの位置にはGK2が入ります。コーチが強いグラウンダーを1に出し、1はそのボールを左足で右に持ち出し、右足で2にパスします。コーチは2個めのボールをニアポスト側に出します。GK1は1回前転をしてからそのボールにスタートし、左でサイドにディフレクティングします。GK2はGK1に向かって、ドロップキックで正確に蹴ります。

アドバイス
- 数回行ったら、GKはポジションを交代します。その後、逆サイドで同様に行います。

トレーニング 12

GK1は大ゴール前中央に立ちます。その10m前に3つのコーンゴールをマークします。コーンゴールAの10m前にコーチがボールを持って立ちます。GK2は、コーンゴールBとCの後方に立ちます。コーチはボールをグラウンダーでコーンゴールAを通して出します。1はそれを受け、その間に2が1に対し、どのコーンゴールを通して出すべきかを指示します。1は指示されたゴールをグラウンダーで通して2にパスし、2は同じゴールを通して1に返します。今度は、コーチがどのゴールを通して出すべきかを指示します。

アドバイス
- GK1は、コーチからのパスの瞬間にGK2とアイコンタクトをとっておきます。
- 数回行ったら、GKの役割を交代します。

バリエーション
1. GK1は、パスを1タッチで出します。
2. パスをライナーあるいはハイボールで出し、返すパスはグラウンダー。
3. パスをライナーあるいはハイボールで出し、返すパスも浮き球。

バックパス・ルールに対するゲーム形式

ゲーム1

両チームともゴールキーパーを1人固定してスタートします。ただし、相手チームがゴールを決めたらポジションを交代します。

全GKは守備のためにボールを手で触っても構いません。ただし、パスは足で行わなくてはなりません。ボールがサイドラインを越えたら、ドリブルインをしてからでないとゴールにシュートすることができません。ボールがゴールラインを越えたら、GKがプレーを再開します。その場合、ゴールは味方のパスからのみシュートをねらうことができます。すべてにバックパス・ルールを適用します。ボールへのスライディングは禁止です。

どのチームが多くゴールを決めるでしょうか。

オーガナイズ
- 2個の5m幅のゴール、15m×15mのフィールドに3対3。

ゲーム2

4人のチームでボールをパスし、相手ゴールキーパーにボールを取られないようにします。相手GKの1人がボールを取ったら、すぐにゴールにシュートします。ゴールが決まったら、そのプレーヤーはボールを失ったGKと交代します。

ボールを奪ってもゴールが決まらなかったら、そのパスを受けたGKと交代します。GKにはバックパス・ルールを適用します。

オーガナイズ
- 10m×10mのフィールドに5m幅のゴール。4対2。
- 4人チームのGKは5mゴールの中に入り、残りの3人は3辺のライン上に入ります。

ゴールキーパーの戦術の基本要素 | 3章

ゲーム3
4人のゴールキーパーが1チームとなり（3人のGK＋1人のコーチ、あるいはフィールドプレーヤー）、パスをかわします。中央のGKは、ボールを触る（＝1ポイント）、あるいは奪う（＝2ポイント）ようにします。中央のGKへの負荷は、45秒から最大60秒間とします。どのGKが最もポイントを獲得するでしょうか。

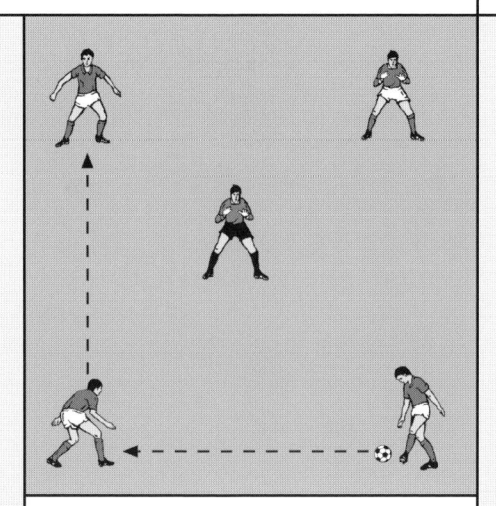

オーガナイズ
- 5m×5mのフィールドで4対1。

ゲーム4
フィールドの中で2ゴールキーパー対2ゴールキーパーでプレーします。フィールドプレーヤーは相手ハーフからしかシュートをうつことができません。GKは自陣ハーフからでもシュートをうつことができます。

オーガナイズ
- 20m×30mのフィールドにコーンでハーフラインをマーク。大ゴールに2（＋GK）対2（＋GK）。

ゲーム5

　数的優位のチームが、ゴールキーパーに対しグラウンダー、ライナー、ハイボールを蹴り、すぐにプレッシャーをかけに行きます。数的に不利のチームは、プレーを組み立ててカウンターをねらいます。

オーガナイズ
- 3対2（または4対3）。大ゴールにGK、カウンターゴール2つ。
- GKにはバックパス・ルールを適用。

ゲーム6

　数的不利のチームのゴールキーパーは、ボールを手で触ることができますが、数的優位のチームのゴールキーパーは不可。6人チームのGKは、味方に正確な浮き球で出し、そこからゴールをねらおうとします。相手チームはボールを奪い、ゴールをねらいます。両GKはフィールドプレーヤー同様シュートをねらうことができ、またプレーの組み立てにも参加します。

オーガナイズ
- 2つの大ゴールにGKが入り、4対6。
- フィールドの大きさは、年代やレベルに応じて決めます。

バリエーション
　両GKは手でプレーします。6人チームのゴール前左右5mの位置に、フラッグあるいはコーンでゴールを作ります。2人チームのGKは、そこをねらうこともできます。

| | ゴールキーパーの戦術の基本要素 | 3章 |

ゲーム7

　数的不利のチームにのみ、ゴールキーパーが入ります。GKはバックパスをインステップで、あるいはクロスのキャッチ、シュートのセーブからスロー／ドロップキックで、両ゴールをねらうことができます。

　GKは、味方からパスを受けることができるようにプレーします。

　6秒ルール：GKは状況に応じて使える時間を活用します。

オーガナイズ
- 大ゴールにGKが入り、4対6。「カウンターゴール」2つ。
- フィールドの大きさは、年代やレベルに応じて決めます。

ゲーム8

　「制限なし」でプレー。ただし、守備側のチームから常に1人がフィールドを出なくてはなりません（攻撃側の数的優位）。ゴールキーパーは積極的にプレーに関与し、ゴールをねらいます。

オーガナイズ
- 2つの大ゴールにGKを入れて、6対6。フィールドの大きさは、ペナルティエリア×2。

CHAPTER 4　U-10（8-10歳）

基礎としてのボール扱い
U-10（8〜10歳）は、ゴールキーパーのポジションの香りを感じる年代

　U-10年代は、原則として、まだ専門化は行うべきではありません。それはゴールキーパーのポジションに関しても同様です。広範にわたるコーディネーションとテクニックの養成を中心とすべきです。特にボールマスタリーや短い距離でのパスといったサッカーの専門的なテクニックは、この年代ではゲーム的に習得するようにします。U-10にもなると、ゴールキーパーを喜んでやりたがる子どもたちが実にたくさんいます。このことをコーチは有効に活用するべきです。できる限り多くのプレーヤーにゴールキーパーのプレーに親しませ、そうすることでゴールキーパーのタレントを発掘するのです。この章では、全般的なゲームやゴールキーパーのプレーの基礎となるボール扱いに適したゲームフォームを紹介します。

U-10のトレーニングの基本原則

多面的なスポーツ経験を積ませる

　U-10年代は、「ゴールデンエイジ」の前段階に当たります。基本的なテクニックをおおよその形でゲーム的に習得させます。

◎**注意**：動きは、すぐに身につくのと同様に、すぐに忘れてしまうものです！

- 筋内、筋間のコーディネーションは、すでに優れたトレーナビリティー（トレーニングによる伸びしろ）を備えています。
- ねらいをもったコーディネーション・トレーニングは、テクニック・トレーニングを組み合わせて、トレーニングの前面に置きます。精密なコーディネーションのとれた動きは、まだあまりうまくいきません。
- 柔軟性と反応能力のトレーニングには、非常によく反応し、効果が出る段階です。
- 「ゲーム的」な体操によって、将来的によく動くことができるように基礎を身につけます。
- 物事を抽象化したり、あらかじめプランを立てた戦略的な行動をとるための能力はまだ十分には発達していません。
- ポジション専門のみの養成は避けるようにします。
- サッカーの専門的なテクニック能力はすべておおよその形で、ボールを使った種目で習得し、ゲーム種目で活用します。
- 強度は高くせず、しかし継続的に負荷を与えることを優先します。
- この年代でも集中を要求します。しかし、集中は短時間しか期待できません。指導者はプレーヤーの集中力が失われたことに気づいたら、モチベーションを高めるような練習やゲームフォームで元気づけ、新たにかき立てるようにします。ゲームのセッションを行ったら、再び集中して取り組む練習を入れます。
- 適切な休憩の長さを、子ども自身にも調整させるようにします。
- 「止まっている段階」が長くなりすぎないように、オーガナイズを工夫して避けるようにします。
- 主要な大きなミスを取り除くことに集中します。ミスを適切に指摘し、シンプルな修正のアドバイスによって修正するようにします。
- テクニックの動作や戦術行動を指導者がデモンストレーションすることは、子どもに動きのイメージをもたせるためには必要不可欠です。
- 指導者は、「小さな」進歩を認めて喜ぶようにしましょう。
- トレーニングのモチベーションは、面白く、動きがあり、変化に富んだトレーニング・フォームによって生み出すようにしましょう。
- 毎回のトレーニング・セッションは、モチベーションを高めるような練習フォームで終えるようにします。

◎**基本原則**：常にトレーニングは、簡単なものから難しいものへ、単純なものから複雑なものへと発展させていきます。

ゴールキーパーのプレーへの導入

コーディネーションの習得と動きづくり

　この年代のゲーム活動は、非常に強く発展していきます。子どもたちはほとんどの場合，非常にモチベーションが高く、トレーニングに対して張り切って臨んでいます。子どもたちは基本的にポジティブな状態であり、運動の欲求が高く、力があり余っていて、チャレンジ精神が旺盛です。新しいこと、知らないことに対して好奇心が強く、それがトレーニングや試合に駆り立てる主な動機になっています。

　指導者の役割は、まずはこの「興奮状態」を落ち着かせて、本来のトレーニングを開始できるようにすることです。それにはさまざまなゲーム形式が適しています。例えば、以下のようなものです。

ゴールキーパー・テニス：

　5m×4mのフィールドに4人のプレーヤーが入ります。4個のコーンでフィールドをマークし、真ん中にひもを張ります。できるだけ地面が平らなところで行います。

　ひもで区切った両サイドに、プレーヤーが2人ずつ入ります。ボールを投げ、キャッチします。フィールドの大きさは、パフォーマンスのレベルに応じて決めます。プレーヤーは毎回細かく素速いステップで、できるだけ倒れ込むことなしにキャッチするようにします。

　次のルールを適用します。ボールを地面に触れさせてはいけません。触れた場合は直ちに相手ボールとなり、サイドからのインプレーとなります。モチベーションを高めるためには、ポイント数を決めて競い合わせます。負けた側が追加の種目を行います。

ゴールキーパー・テニス

トレーニング1

　2対2でさまざまな課題を行います。
1. ボールは頭越しに投げます（スローインの投げ方）。
2. ボールはボレーでプレーします。
3. ボールを投げる、あるいは蹴ったら、すぐに1回座ってから立ち上がります。それによってプレーのテンポが上がります。

バリエーション

1. プレーヤーは1アクションごとに腹ばいになり、前転あるいは後転をしてから立ち上がります。
2. さまざまなボールを使って行います（ミニサッカーボール、テニスボール等）。

ねらい

- モチベーションを高めるようなウォームアップ。
- コーディネーション能力の習得。
- テクニック能力の習得。

トレーニング2

1対1×2で、さまざまな課題を行います。

ひもを張ったその両側に、チームAとチームBから各1名ずつ入ります。彼らは、反対のサイドにいる味方とボールを投げ合い、競り合いの中で手でコントロールします。相手チームがボールを奪ったら、逆サイドにいる味方にパスをつなげば1ポイント獲得です。

競り合いは、ボールを奪う段階のみとします。投げるときは妨害してはいけません。

ねらい
- モチベーションを高めるようなウォームアップ。
- コーディネーション能力の習得。
- テクニック能力の習得。
- ボールをめぐる競り合いの中で頑張り抜く力を、ゲーム的に習得。
- コンビネーション・プレーの習得。

バリエーション
1. ボールはボレーでプレー（場合によっては、フィールドを大きくします）。
2. さまざまなボールを使って行います（ミニサッカーボール、テニスボール等）。

トレーニング3

3対3。

フィールドは両サイドとも、3つのエリアに区分けします（図を参照）。各プレーヤーはそれぞれ1つのフィールドを受け持ち、そこにボールを落とされないようにします。逆サイドへのプレーは、ネット側のフィールドからは投げるのみ。後方のフィールドからはボレーのみとします。

ねらい
- モチベーションを高めるようなウォームアップ。
- コーディネーション能力の習得。
- テクニック能力の習得。

バリエーション
1. ボールをプレーしたプレーヤーは素速く座り、腹ばいになるか前転あるいは後転をしてから、素速く起き上がってプレーを続けます。
2. さまざまなボールを使って行います（ミニサッカーボール、テニスボール等）。

ボールコンタクト

トレーニング1

マークしたフィールド内で3対3（または4対4）。

10m×7mのフィールドで、2チームが対戦します。ボールを投げ、キャッチします。相手チームにボールを触られずに特定の回数ボールコンタクトに成功したら、ポイント獲得です。先に3ポイントを獲得したチームが勝ちです。負けたチームは追加の課題を行います。

ボールが床に触れるかサイドから出たら、相手ボールとなります。ボールは空中でしか奪うことはできません。ボール保持者には触れてはいけませんが、プレッシャーをかけることはできます。

ねらい

- モチベーションを高めるようなウォームアップ。
- コーディネーション能力の習得。
- テクニック能力の習得。
- ボールをめぐる競り合いの中で頑張り抜く力を、ゲーム的に習得。
- コンビネーション・プレーの習得。

バリエーション

1. プレーヤーは、はって移動します。
2. さまざまなボールを使います。
3. フィールドの中央に通過できないゾーンを設けます。
4. 人数が合わない場合は、1人をニュートラル・プレーヤーとし、ボールを保持しているチームの味方となってプレーします。

トレーニング2

マークしたフィールド内で3対3。

3つのフィールド内で、それぞれ1対1となります。各プレーヤーは自分のフィールドから離れることはできません。ボールをスローあるいはボレーでプレーします。

ルールは、トレーニング1と同じです。

フィールドは、さまざまに設定することができます。

- 3つを同じ大きさとし、間に別のフィールドを挟みます。
- 3つの同じ大きさのフィールドを「ランダム」に設定します（例：2つのフィールドを横に並べ、もう1つはその前に設定する）

ねらい

- トレーニング1と同じ。

バリエーション

1. 一定時間ごとに時計回りにフィールドを交代します。
2. 動き方をさまざまに設定します（ランニング、はう、転がる等）。

U-10（8-10歳） 4章

ミニゴールまたはコーンゴール

トレーニング1

マークしたフィールド内で2対2（または3対3）。

各2（または3）人ずつのプレーヤーが10m×7mのフィールドでプレーします。長いほうの辺にコーンゴールを2つ作ります。動くときははって移動します。ボール保持者は、その場から動いてはいけません。ボール保持者には触れることはできませんが、プレッシャーをかけることはできます。ボールがラインから出たら、相手ボールとなります。ゴールはどのプレーヤーもねらうことができます。

ボールは投げるのみとします。ゴールはどの距離からでも可能です。

ねらい
- ゲームフォーム2と同じ。

バリエーション
- ボールを投げてプレーします。
- ボールを転がしてプレーします。
- ボールは好きなようにプレーして構いません。
- ゴールはあらかじめ設定したマークからねらいます。
- さまざまなボールを使います（ミニサッカーボール、テニスボール等）。

プレーヤーの数が同じにならないときには、1人のプレーヤーをニュートラルのパサーとし、ボールを保持しているほうのチームの味方としてプレーします。

トレーニング2

マークしたフィールドで2対2（または3対3）。

プレーヤーはボールを足でパスし、コーンゴールにシュートを決めようとします。

オーガナイズは上と同様です。

ねらい
- ゲームフォーム2と同じ。

バリエーション

1. ゴールはあらかじめ設定したマークからねらいます。
2. ゴールエリアをマークし、その中ではプレーヤーが手でボールを防いでもよいとします。
3. ボールは手で奪って構いません。ただし、その後は足でプレーしなくてはなりません。
4. さまざまなボールを使います（ミニサッカーボール、テニスボール等）。

スローイング

トレーニング1

グループでスローイングとキャッチングのトレーニングをします。

複数のプレーヤーで、輪になって地面に座ります。最初のプレーヤーから、順番は不定でボールを投げます。少し時間がたったら2個めのボールを入れます。ただし、2個のボールを同じプレーヤーに投げてはいけません。ボールを落としたプレーヤー、不正確に投げたプレーヤー、すでにボールを持ったプレーヤーに対して投げてしまったプレーヤーは、マイナスポイントとなります。マイナスポイントが一定数たまったプレーヤーは、輪から外れなくてはなりません。プレーヤーが最後の2人になるまで続けます。

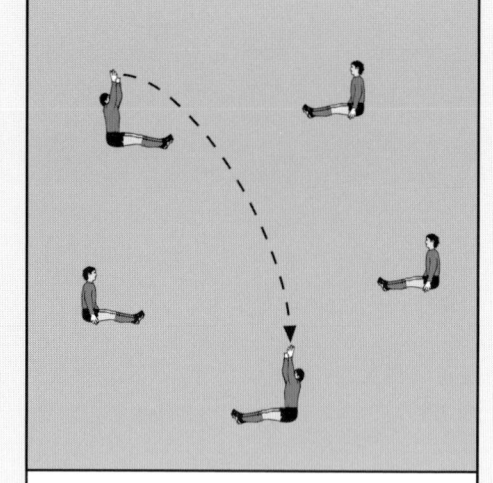

ねらい

- モチベーションを高めるようなウォームアップ。
- コーディネーション能力の習得。
- モチベーションを高める。

巧緻性

トレーニング1

ボールを使った巧緻性とテクニックのトレーニング。

6m×6mのフィールドの中で、複数のプレーヤーがボールを1個ずつ持って入ります。
1．歩きながら、あるいは走りながら、右手でボールをつきます（一定時間で反対の手に代える）。
2．歩きながら、あるいはゆっくり走りながら、右手と左手でボールをつきます。
3．歩きながら、あるいはゆっくり走りながらボールをつきます。何歩か動いたら強くボールを弾ませ、素速く1回転してまたボールをつきます。

ねらい

- モチベーションを高めるようなウォームアップ。
- コーディネーション能力の習得。
- ボール感覚を高める。
- モチベーションを高める。

バリエーション

- 2と同じ。ボールをつかず、左右の手で交互に転がします。
- 3と同じ。ターンする代わりに地面に座り、素速く立ち上がります（あるいは、腹ばいになってから素速く立ち上がります）。
- 3と同じ。プレーヤーは前転あるいは後転。
- 3と同じ。プレーヤーはボールをつきながら走り、180度ターンして反対方向にボールをつきます。

U-10（8-10歳） 4章

トレーニング2

巧緻性とボールテクニック。

6ｍ×6ｍの大きさのフィールドで、複数のプレーヤーとコーチが動きます。フィールドの角はコーンでマークします。各サイドラインの真ん中にも、コーンを置きます。プレーヤーは各自ボールを1個ずつ持ちます。プレーヤーはボールを左右の手で交互につきます。コーチがプレーヤーの名前をコールします。呼ばれたプレーヤーは、コーチに自分のボールを投げます。コーチはボールを高く投げ上げ、そのプレーヤーが空中でボールをキャッチします。

続けてボールをつきながら動きます。

ねらい
- モチベーションを高めるようなウォームアップ。
- コーディネーション能力の習得。
- モチベーションを高める。

バリエーション

1．プレーヤーが空中でボールをキャッチする前に、コーディネーション課題を行います（前転あるいは後転、1回転等）。
2．コーチはボールを空中に投げるのではなく、プレーヤーの前の地面に強く弾ませます。
3．プレーヤーはまずマークのコーンの方向に前転をして、コーンを回ってからボールをキャッチします。
4．コーチが両脚を広げて立ち、プレーヤーはその間をはって通ってからボールをキャッチします。

トレーニング3

巧緻性とボールテクニック。
前のトレーニングと同様。

プレーヤーは、お互いぶつかったりボールを失ったりしないようにドリブルします。コーチが1人のプレーヤーの名前をコールし、そのプレーヤーはボールを正確にコーチにパスし、後転をしてから、コーチがグラウンダーで出したボールに倒れ込みます。

続けてドリブルします。

ねらい
- トレーニング2と同じ。

バリエーション

1．プレーヤーはまずコーンの方向に前転をし、コーンを回り込んでから、コーチがサイドにグラウンダーで出したボールに飛び込みます。
2．プレーヤーはボールをコーチにパスし、両脚を広げて立ちます。コーチはその両脚の間にボールを返し、プレーヤーはそのボールに飛び込みます。
3．コーチがプレーヤーの両脚の間にボールをパスしたら、プレーヤーは後転をし、素速く180度ターンしてボールに飛び込みます。

2人組でスローの練習

トレーニング1

プレーヤーは5mの距離を置いて向かい合い、2個のボールを投げ合います。

プレーヤー1はボールを頭上に高く投げ上げます。プレーヤー2は自分のボールを1に投げます。1はこのボールをキャッチして素速く投げ返し、自分が投げ上げたボールを地面に落とさないようにキャッチします（5〜8回やって、交代します）。

バリエーション

これらのトレーニングはすべて座って、さまざまなボールを使って行うことができます。

ねらい
- モチベーションを高める。
- コーディネーション能力の習得。
- ボール感覚を高める。
- ランニングと動きのテクニックの習得

トレーニング2

プレーヤーは5mの距離を置いて向かい合い、1個のボールを投げ合います。
1. ボールを片手で投げ、両手でキャッチ。
2. ボールを片手で投げ、片手でキャッチ。
3. ボールを決まった順番で投げます。例：プレーヤー1が右手でプレーヤー2の左手に投げます。2は左手で、ダイアゴナル（斜め）に1の左手に投げます。1は左手で受け、2の右手に投げます。2は右手で受け、ダイアゴナルに1の右手に投げます。以下同様に続けます（4〜5回やったら、交代します）。

バリエーション
1. ボールを相手の足元で強く弾ませます。
2. プレーヤー1はボールを持ち、声の合図でアクションを開始します。ボールを力強く弾ませます。3はこの声の合図でコーディネーション課題を行い、それからボールをキャッチします（例：「ホップ」−ボールを弾ませる−1回転−ボールを両手で背後でキャッチ）。
3. さまざまなボールを使います（ミニサッカーボール、テニスボール等）。

ねらい
- トレーニング1と同じ。

トレーニング3

プレーヤーは3～4mの距離で向かい合って立ち、1個のボールを投げ合います。

1. スローイング練習にコーディネーション課題を組み合わせます。スローの後に素速く1回転（左右交互）あるいは前転または後転をします。
2. プレーヤーはポジションを移ります。プレーヤー1はボールを自分の前に高く投げ上げ、ポジションをプレーヤー2と入れ替わります。プレーヤー2は素速く細かいステップでプレーヤー1のポジションに入り、ボールを片手でキャッチします。

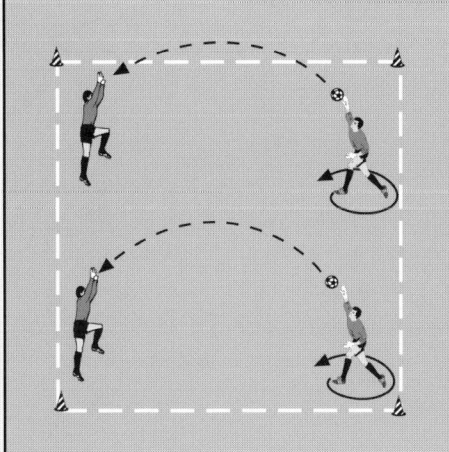

ねらい
- トレーニング1と同じ。

バリエーション

1. プレーヤーの間の距離を狭くします。ボールは両手で投げ、両手でキャッチします。プレーヤー1は両手でボールをプレーヤー2に向かって高く投げ、2は両手で背後でキャッチします。ボールを持ち替え、プレーヤー1に投げます。

   背後でのキャッチは、プレーヤーがキャッチの直前にボールの後方に入り、最後の瞬間に小さいステップで前に出て行うと行いやすくなります。
2. さまざまなボールを使って行います（ミニサッカーボール、テニスボール等）。

トレーニング4

プレーヤーは3～4mの距離で向かい合って立ちます。プレーヤーは各自ボールを1個ずつ手に持ちます。

1. 合図でプレーヤーはボールを投げます。1人は高く投げ、もう1人はライナーで投げます。そうすることで、ボールがぶつかるのを防ぎます。
2. 各プレーヤーはボールを右手に持ちます。合図でボールを相手の左手に投げ、次は左手で相手の右手に投げます。以下同様に続けます。
3. 1人のプレーヤーがボールを2個持ち、同時にパートナーに投げます。

ねらい
- モチベーションを高める。
- コーディネーション能力の習得。
- ボール感覚を高める。
- 常に動き、ボールの位置に入る（足を動かすことの習得）。

バリエーション

1. ボールをダイアゴナル（斜め）に投げます（数回行ったら、投げ、キャッチする手を替えます）。
2. さまざまなボールを使って行います（ミニサッカーボール、テニスボール等）。
3. これらのトレーニングはすべて座って、さまざまなボールを使って行うことができます。

CHAPTER 5 U-12（10-12歳）

U-12：目標をもったトレーニングの開始

　発展トレーニング（U-12、U-14）の目標と内容は、基礎トレーニングでの経験のうえに積み上げられていくものです。中心となるのはゴールキーパーの専門的なテクニックをシステマティックに習得し、それを状況に応じて発揮することです。トレーニングの構成と内容は、U-14のゴールキーパーとは明らかに異なります。第6章で取り上げるU-14もまだ同じ「発展トレーニング段階」ですが、U-12はU-14とは異なります。

枠組みとなる条件

- U-12年代は、学習に最適な年代です（「即座の習得」）。プレーヤーは、学習に対する熱意、高い意欲とチャレンジ精神を示します。
- さらに、遊びたい、動きたいという衝動が支配的です。
- また、取っ組み合いのケンカを好みます。競争の中で自分の存在を示したいという欲求が強まります。
- 負荷、筋力発揮、てこ比が向上します。コーディネーションのとれた精密な運動を行うための前提ができます。
- 1対1では、勇気とリスクを冒す準備が向上します。ボールや相手に対し、自発性や創造性が明らかに向上します。
- 見渡すことのできるスペースの中での戦術的な行動のための能力が発達します。この有利な前提条件を活用し、技術の粗形態をさらに発展させていくようにします。

- 最優先となる目標は、個々の運動能力の正確な習得です。
- そのためには、ミスを的確に指摘し、修正すること（個別の練習によって）が役立ちます。
- 個々のテクニックをまず取り出してから、次に、組み合わせて習得します。テクニック練習とコーディネーション・トレーニングを組み合わせます。
- コーディネーション能力の発達が、リアクション・スピードとステップの細かさの向上につながります。
- コンディション能力の向上は、この年代では最優先ではありません。これは次の年代に上がった際に重要となります。トレーニングの量と強度は、U-10のときよりも増やします。
- 無酸素性（強度の高い）持久性負荷、筋力負荷は、まだ要求しません。
- ゴールキーパーとして適性のあるプレーヤーの専門化を開始します。
- 戦術的な内容は、チーム・トレーニングの中に含めます。それによって、試合の状況を現実的に経験するようにします。

基本原則：

　トレーニングは、簡単なものから難しいものへ、単純なものから複雑なものへと進めていきます。

ゴールキーパーの専門的な基本技術の習得のためのベーシック・トレーニング

　ゴールキーパーの専門的な技術を習得するための実践的なトレーニング・フォームを紹介します。それぞれのテクニックごとに4つの基本練習があります。これらはバリエーションをつけたり、互いに組み合わせたりして、専門的なゴールキーパー・トレーニングへと発展させることができます。

基本練習1：個別のテクニック練習
基本練習2：テクニック練習とコーディネーション・トレーニングを組み合わせたもの
基本練習3：複数のプレーヤーでのテクニック練習
基本練習4：ゴールを使った練習フォーム

注意：

- コーディネーション能力の習得は、ウォームアップ・プログラムの中で行う、あるいは、テクニック練習フォームと結びつけて行うことができます（「基本練習2」を参照）。
- 「ポジショニング」「1対1」「プレーの組み立て」といった戦術的な要素は、「基本練習4」の中に入ります。ただし、これらの要素はチーム・トレーニングの中で重点的に習得すべきものです。
- コンディション・トレーニングは、コーディネーション養成の枠組みの中でのスピード・トレーニング、可動性トレーニングに限ります。
- 子どもらしい優れた想像力を学習のプロセスに活用します。若いプレーヤーの積極的な取り組み姿勢をうまく刺激して高めさせます（モチベーション）。
- ゴールを使った練習フォーム（基本練習4）では、方向感覚、ポジショニングの習得のために、目安としてゴールの中央にコーンを置いておくことを勧めます。

図5a　要求の特徴

テクニック

テクニック

コーディネーション能力
- 方向づけ能力（方向感覚）
- 反応力
- バランス感覚
- リズム感

技術能力
- 基本姿勢
- グラウンダーおよびライナーを正面で受けキャッチする
- ハイボールを正面でキャッチする
- クロスのハイボールを正面でキャッチする
- グラウンダーのボールに対し、サイドへのフォーリング、ローリング
- スローイング、キック、手から離すボレーキック、ドロップキック
- フィールドプレーヤーの能力（バックパス・ルールへの対応の前提として）

図5b

戦術／コンディション／メンタル

戦術
- ポジショニング
- セットプレーへの対応
- 1対1
- ボールをめぐる争いで最後まで頑張る力
- ボールを保持している際のプレーの組み立て

コンディション
- コーディネーション・トレーニングの範囲内でスピード・トレーニング、可動性トレーニング
- 全般的、専門的なストレッチングの導入

メンタル
- モチベーション：トレーニングやゲームへ取り組む姿勢の向上

テクニック能力

基本姿勢

ここでは基本姿勢の習得のための練習フォームとしては、以下のものは提供していません。

- 唯一絶対の基本姿勢というものは存在しません。基本姿勢はその時々で常にたくさんの要素と関連しているのです。例えば、ボールとの距離、予想されるボールの軌跡、ボールのスピード等です。クロスの際には、中距離からのシュートの際とはまた別の基本姿勢をとるようになります（第3章を参照）。
- 本章で紹介する練習フォームを行う際には、指導者は、適切な基本姿勢をとらせるように注意し、必要があれば修正します。特に若いプレーヤーの場合は、正しい基本姿勢をしばしば忘れがちなので注意が必要です。

アドバイス

ローリングを目標としたトレーニングは、その他のゴールキーパーの専門的なテクニックと組み合わせて行います。ゴールを使ったトレーニング・フォームでは、ハイボールのキャッチ、フォーリング、グラウンダーに対するサイドのローリング等を示します（P89を参照）。

U-12（10-12歳） 5章

■ グラウンダーのボールに対するキャッチとローリング

個々のテクニック・トレーニング

基本練習1

5m幅でコーンゴールを作り、1人のプレーヤーがその中に立ちます。コーチはボールを持って正面4〜5m前に入ります。コーチはボールをグラウンダーでダイレクトにプレーヤーに出します。プレーヤーはそのボールを取って、コーチにアンダーハンドでグラウンダーで返します。

プレーヤーは常に左右の足を交互に前に出すようにします。

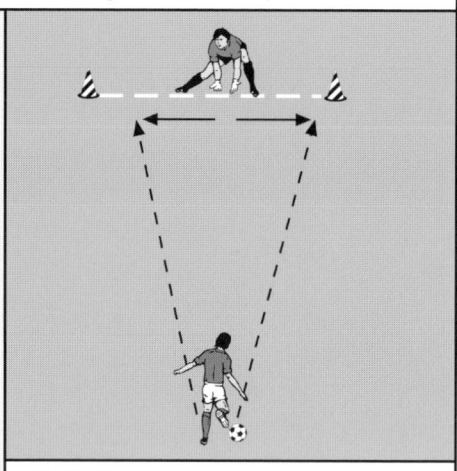

ポイント
- 膝を深く曲げ、ボールの後方の足を入れます。体重を拇指球にかけます。
- ボールがゴールキーパーの右に来たら、右足を前に出します。
- ボールがゴールキーパーの左に来たら、左足を前に出します。

バリエーション

1. コーチはボールをグラウンダーでプレーヤーの左右に出します。プレーヤーは少しサイドステップで動いて対応します。
2. プレーヤーが片方のコーンのところに立ちます。コーチはボールを持ってゴール前中央4mのところに立ちます。コーチはプレーヤーに対しグラウンダーを出し、プレーヤーはそれを受けてコーチにアンダーハンドでグラウンダーで返します。次にプレーヤーは走ってコーンを回ってから、再び基本姿勢をとります。コーチは次のグラウンダーを出します。左右交互に足を前に出し、また、左右交互にコーンを回るようにします。

個々のテクニック・トレーニングとコーディネーション

基本練習2

基本練習1と同様。ただし今度は、コーチにボールをアンダーハンドで返した後、プレーヤーは前転をし、後方のゴールの中に戻り、基本姿勢をとって次のボールを待ちます。左右の足を交互に前に出すようにします。

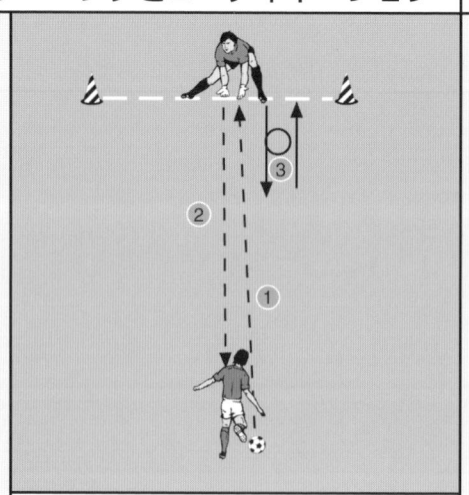

ポイント
- 基本練習1と同じ。

バリエーション

1. プレーヤーは後転をして、前方に動いてゴールに戻り、基本姿勢をとって次のボールを待ちます。
2. プレーヤーはゴールの中央に腹ばいになります。コーチの手の合図で示された方向に横に転がってから、基本姿勢をとって、コーチがコーンの近くにグラウンダーで出したボールに反応します。ボールをコーチに転がして返します。次に、再びスタートポジションをとり、同様に開始します。

U-12（10-12歳） 5章

複数のプレーヤーでテクニック・トレーニング

基本練習3

2人のプレーヤーが6ｍの距離で向かい合います。両プレーヤーはそれぞれ幅5ｍのコーンゴールの間に立ちます。ボールを互いにアンダーハンドでグラウンダーで出し、それぞれ左右の足を交互に前に出して受けます。

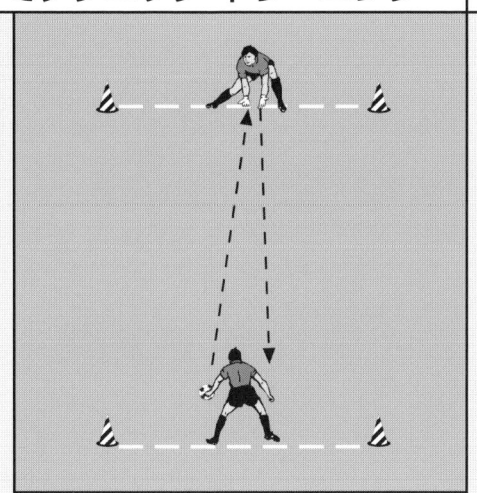

バリエーション

1. ボールを受ける前に、少しサイドステップで動かなくてはならないように出します。
2. 2個のボールを同時に出します。2人は同時に相手の左サイドにボールを出します。パートナーからのボールを受けたら、再び中央に戻り、ボールを再び出します。数回行ったら、今度は相手の右サイドに出します。

ポイント
- 基本練習1と同じ。

ゴールを使った練習フォーム

基本練習4

GK1は5ｍゴールに入り、GK2は8ｍ離れた中央のコーンゴールの中に入ります。コーチはボールを持って中央に入ります。コーチはGK2にグラウンダーを出します。GK2はそのボールを受け、コーチの右または左を通して5ｍゴールへアンダーハンドでグラウンダーを出します。GK1はゴールを守ります。ゴールが決まったら、両プレーヤーはポジションと役割を交替します。

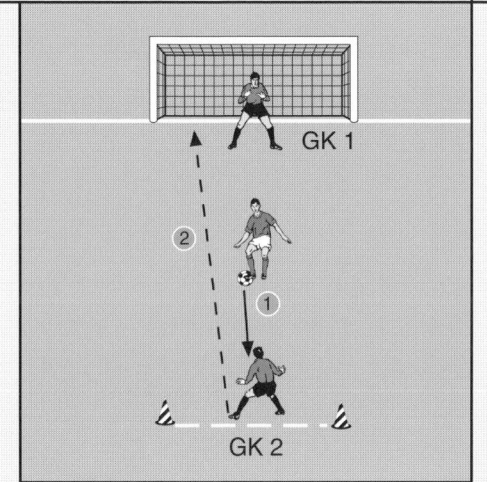

バリエーション

4ｍゴールの横にコーンのスラロームコースを作ります。GK1は、ゴールの外のスラロームの前に立ちます。ゴール前8ｍの位置に、同様のコーンのスラロームを作ります。その前にGK2がボールを持ってゴールの方向を向いて入ります。

コーチの合図で2人のプレーヤーはスラロームを通過します。プレーヤー1はその後、構えの姿勢をとり、GK2はボールを5ｍゴールの方向に転がしてゴールをねらいます。ゴールが決まったら、両プレーヤーはポジションと役割を交替します。

ポイント
- 基本練習1と同じ。

■ ハイボールのキャッチ

個々のテクニック・トレーニング

基本練習1

プレーヤーは、5m幅のコーンゴールの中に立ちます。コーチはボールを持って、その正面5mの距離に立ちます。方向づけの目安として、ゴールの後方中央に、もう1個コーンを置きます。ここをスタートポイントとして、プレーヤーは次のアクションを開始します。コーチはボールをプレーヤーに向かって高く投げます。プレーヤーはそれをキャッチし、コーチに投げ返し、再び中央のコーンの前で基本姿勢をとります。プレーヤーは左右の足で交互にジャンプします。

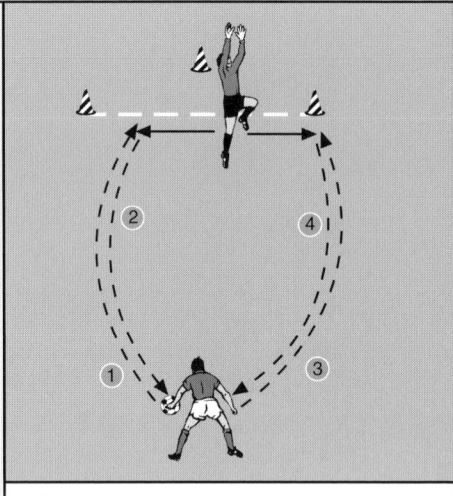

ポイント
- 体重を踏み切り足にかけます。
- ボールがプレーヤーから見て右に来たら、左足で踏み切ります(左に来たら右足で)。

バリエーション

1. コーチは、ボールをプレーヤーの少し横に高く投げます。プレーヤーは少しサイドステップで移動してから、これをキャッチします。プレーヤーは左右の足で交互にジャンプするようにします。
2. プレーヤーはコーンのゴールの右横に立ちます。コーチがサイドからゴールの遠いほうのコーナーの方向へボールを高く投げます。プレーヤーはボールに向かって走って行って、右足で踏み切り、ボールに向かって少し身体を捻ってキャッチします。続いて左のコーンのところで構え、同様に続けます。

個々のテクニック・トレーニングとコーディネーション

基本練習2

コーンを3個使って、三角形を作ります(1辺4m)。コーチが三角形の底辺から4mの位置に立ち、プレーヤーは最も遠いコーンの位置に立ちます。コーチがボールを左右交互に投げ、プレーヤーは動いてコーンの外を回ります。左のコーンへの高いボールの場合、ボールに向かって進み、右足で踏み切ってジャンプした後、後ろのコーンまで下がります。右のコーンの方向への高いボールの場合、ボールに向かって進み、左足で踏み切ってジャンプした後、後ろのコーンまで下がります。

ポイント
- 体重を踏み切り足にかけます。
- 踏み切り足で爆発的に力を発揮します(接地時間を短く)。

バリエーション

1. プレーヤーは最初に前方に向かって動いてから、横にターンをしてハイボールをキャッチします。
2. プレーヤーは最初に後方に動いてから、前転を行います。
3. プレーヤーは最初に後方に動いてから、後転を行います。

U-12（10-12歳） 5章

複数のプレーヤーでテクニック・トレーニング

基本練習3

3個のコーンで三角形を作ります（1辺4m）。プレーヤーはボールを持って、底辺の後ろに並びます。コーチは三角形の頂点から4mの位置に立ちます。プレーヤー1はコーチにボレーでパス。前のコーンへスタートします。コーンにタッチして、バックランニング。コーチがコール（1または2）したコーンを回り、コーチが投げたハイボールをキャッチ。列の後ろにつき、プレーヤー2がスタートします。

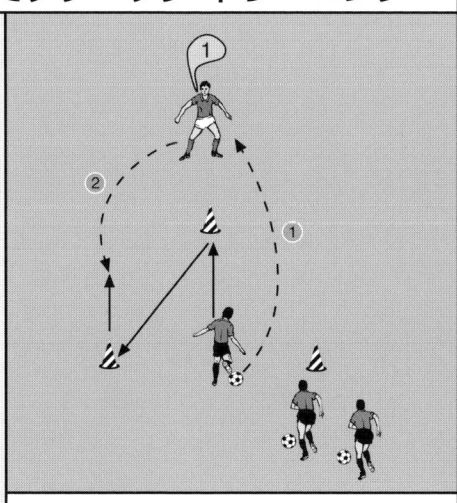

ポイント
- 体重を踏み切り足にかけます。
- 踏み切り足で爆発的に力を発揮します（接地時間を短く）。

バリエーション

指定されたコーンに向かう前にバックランニング。コーチが「ストップ」とコールしたら、プレーヤーはバックランをやめ、直接ハイボールに向かいます。

ゴールを使ったトレーニング・フォーム

基本練習4

GK1は5mゴールに入ります。コーチはボールを持ってゴールライン上の、ゴールの左または右5mの位置に立ちます。ゴール正面12mの位置にコーンを置き、GK2がそこに入ります。コーチがボールをゴール前に高く投げ、GK1がそれをキャッチし、GK2にボールをアンダーハンドでグラウンダーで出します。GK2はゴールにシュートをうちます（インサイドまたはインステップ）。ゴールが決まったら、ポジションと役割を交替します。

ポイント
- 体重を踏み切り足にかけます。
- 踏み切り足で爆発的に力を発揮します（接地時間を短く）。
- 素早く反応します。

バリエーション

1. GK2はゴール正面ではなく、少し左あるいは右に入ります。
2. コーチはゴールエリアの右または左の角に入り、2個めのボールを持ちます。GK1がサイドからのハイボールをキャッチし、GK2へボールを転がした後、コーチは2個めのボールをニアポストに出します。GK1はこのボールに対して倒れ込んで押さえ、その体勢でコーチにボールを返し、素早く起き上がって、GK2からのシュートに対応します。

■ グラウンダーのボールに対し、倒れ込み／サイドへのローリング

個々のテクニック・トレーニング

基本練習1

　プレーヤーはボールを持って、6m幅のコーンゴールの中央に立ちます。コーチに対してボールをアンダーハンドでグラウンダーで出し、コーチは左サイドに加減をしたグラウンダーを蹴ります。

　プレーヤーは横に1歩動いた後、ボールに対してダイビングをし、すぐに立ち上がります。また同様にコーチにボールを転がし、コーチは今度は右サイドに蹴ります。

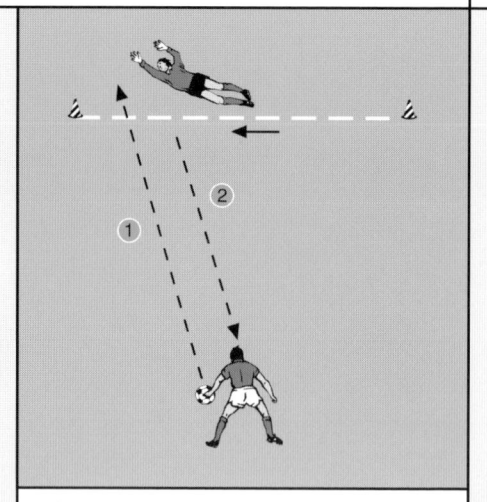

バリエーション

1. プレーヤーはコーチの合図を受けてから、ボールを出します。
2. 1と同様。腹ばいからスタートします。

ポイント
- 腰、体側、肩へのローリング。
- ボールに両手を出します。
- ボールを身体に確保します。

個々のテクニック・トレーニングとコーディネーション

基本練習2

　コーンを図のように設置します。

　コーチはボールを持って、その3m前に立ちます。プレーヤーはコーンのスラロームをサイドステップで通過して、コーチがサイドに出すグラウンダーに飛び込みます。プレーヤーが最初のゴールの右を通過したらボールは右へ、左を通過したら左へ出します（左へサイドステップ、右へサイドステップ、サイドのグラウンダーへ飛び込む）。

バリエーション

　プレーヤーは側臥位からコーチにボールを返し、コーンのスラロームをバックランニングでスタートポジションまで戻り、続いてサイドステップでこのスラロームを抜けます。反対側に出されたボールをセーブします。

ポイント
- 「足を前に出す」－右サイドにゴールキーパーにダイブする際に、左足の膝を軽く前に出し、背中側に倒れてしまうことを防ぎます（左サイドの場合も同様）。

U-12（10-12歳） 5章

複数のプレーヤーでテクニック・トレーニング

基本練習3

2人のゴールキーパーで練習します。2人がボールを手で持って、6m×7mのコーンで作ったフィールドの対角に立ちます。コーチの合図で2人は同時にボールを反対のコーンの方向に転がし、それぞれ相手からのボールにダイブします。反対の角に立って次をスタートします。

バリエーション

1. ボールをアンダーハンドパスではなく、インサイドキックでグラウンダーでパスします。
2. 競争。2人のGKがゴールの右側に腹ばいになります。コーチの合図で相手のゴールにアンダーハンドパスでねらい、同時に相手のゴールを防ぎます。

ポイント

- 腰、体側、肩へのローリング。
- 「ボールを前でセーブする」：左右のサイドへのグラウンダーのボールに対しては、右または左の足でボールに向かって小さく1歩出し、できるだけ早くボールを押さえます。

ゴールを使った練習フォーム

基本練習4

GK1が5m幅のゴールに入ります。その3m前にコーチがボールを持って立ちます。ゴールから12mの距離にコーンを置き、GK2がそこに入ります。コーチはGK1の左右の足をめがけて交互にグラウンダーを蹴ります。GK1はそれを1タッチで返します。コーチは突然両脚を開き、ボールを通させます。GK2がそのボールをインサイドあるいはインステップでとらえ、ゴールをねらいます（抑えたグラウンダーで）。ゴールが決まったら、ポジションと役割を交替します。コーチは、GK2のシュートの間には、GK1の視野をさえぎります。あるいは、ボールのコースを変えます。

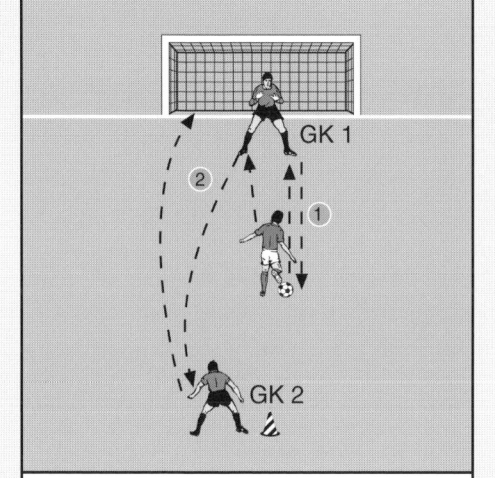

バリエーション

GK2が別のボールを持っています。コーチは脚の間にボールを通すのではなく、GK1に対し、左右に飛び込まないと届かないようなボールを蹴ります。GK1は倒れ込んだ状態でコーチにボールを返し、素速く起き上がって、GK2からのシュートを受けます。

ポイント

- 素速い反応。
- 腰、体側、肩へのローリング。
- ボールに対して両手を出します。
- ボールを身体に確保します。

■手からのボレーキック、ドロップキック

個々のテクニック・トレーニング

基本練習1

ゴールキーパーとコーチは、5mゴールを中央に挟んで15mの距離をあけて向かい合います。両者とも、このゴールを越えて、ボレーキックあるいはドロップキックを蹴り合います。

ポイント
- 動きをなめらかに。ボールをとらえた後、蹴り足をプレー方向に振り、1歩前に出します。

バリエーション

1. ボールを2個使います。
2. コーチがサイドにポジションを移し、GKはそこをねらって蹴ります。
3. コーチはGKに対し、ゴールを越えてゴール正面にボールをスローイングします。GKはそれをキャッチして、コーチに蹴ります。
4. GKに対し、コーチはボールを高くサイドに投げます。後は3と同様です。

個々のテクニック・トレーニングとコーディネーション

基本練習2

ゴールキーパーはボールを持って、5m幅のコーンゴールの中央に立ちます。コーチはそこから10mの距離に入ります。GKはコーチに対し、まず手からのボレーあるいはドロップキックでパスします。その後、サイドステップで動いて、ゴールキーパーから見て、右のコーンにタッチします。コーチがボールを高く投げ、GKはそれをキャッチします。次に、GKはもう1度ボレーキックかドロップキックを蹴り、左のコーンへ動きます。以下同様に続けます。

ポイント
- 手からのボレーキック：少しステップしてボールは両手から短く離します。
- ドロップキック：両腕を自分の身体の前に伸ばしてボールを落とす。あるいは片手で離します。

バリエーション

1. GKは、1回転をしてからコーンにタッチします。
2. コーンにタッチした後に、サイドに出されたグラウンダーに飛び込みます。

U-12（10-12歳） 5章

複数のプレーヤーでテクニック・トレーニング

基本練習3

2人のゴールキーパーが15mの距離で向かい合い、互いに6m幅のコーンゴールの間に入ります。1人のGKがボールを持ち、互いに手からのボレーキックあるいはドロップキックでパスをかわします。

バリエーション

1. ボールを受けるほうのGKは、右または左の「ゴールポスト」に入り、パートナーはそこに正確にパスします。
2. 2人ともボールを持ち、同時に蹴ります。
3. 1人のGKは必ず手からのボレー、もう1人は必ずドロップキックで蹴ります。一定回数行ったら、交替します。

ポイント

- 蹴り足の膝を上げる。ボールは膝の高さより下でとらえます。
- ボールに対して短く素早い動きで向かいます（蹴り足を振らない）。
- 足首は固定し、つま先は下に向けます。

ゴールを使った練習フォーム

基本練習4

1人のゴールキーパーがボールを持ち、5m幅のゴールの後方に立ちます。GKはコーチに対し、手からのボレーキックで蹴り、素速くゴールを回ってゴール前に入り、コーチがゴールのコーナーをねらったグラウンダーのシュートをセーブします。

この練習は、複数のGKで行うのに適したものです。

バリエーション

1. もう1人のGKがゴールの中に立ちます。コーチがGK1からのボールをキャッチしたら、コーチはボールをコーンのところに置きます。GK2は走ってゴール前に入ります。GK2はスタートして置かれたボールのところに走り、それを取って手からのボレーキックあるいはドロップキックで、GK1が間に合う前に5mゴールにシュートを決めようとします。
2. 2人のGKがまず前転をし、それからそれぞれがゴールとボールへスタートします。

ポイント

- 蹴り足を前に振り出します。ボールを足の甲でとらえます。
- なめらかな動き。ボールを蹴った後、蹴り足はプレー方向に振り、1歩前に出ます。

図6

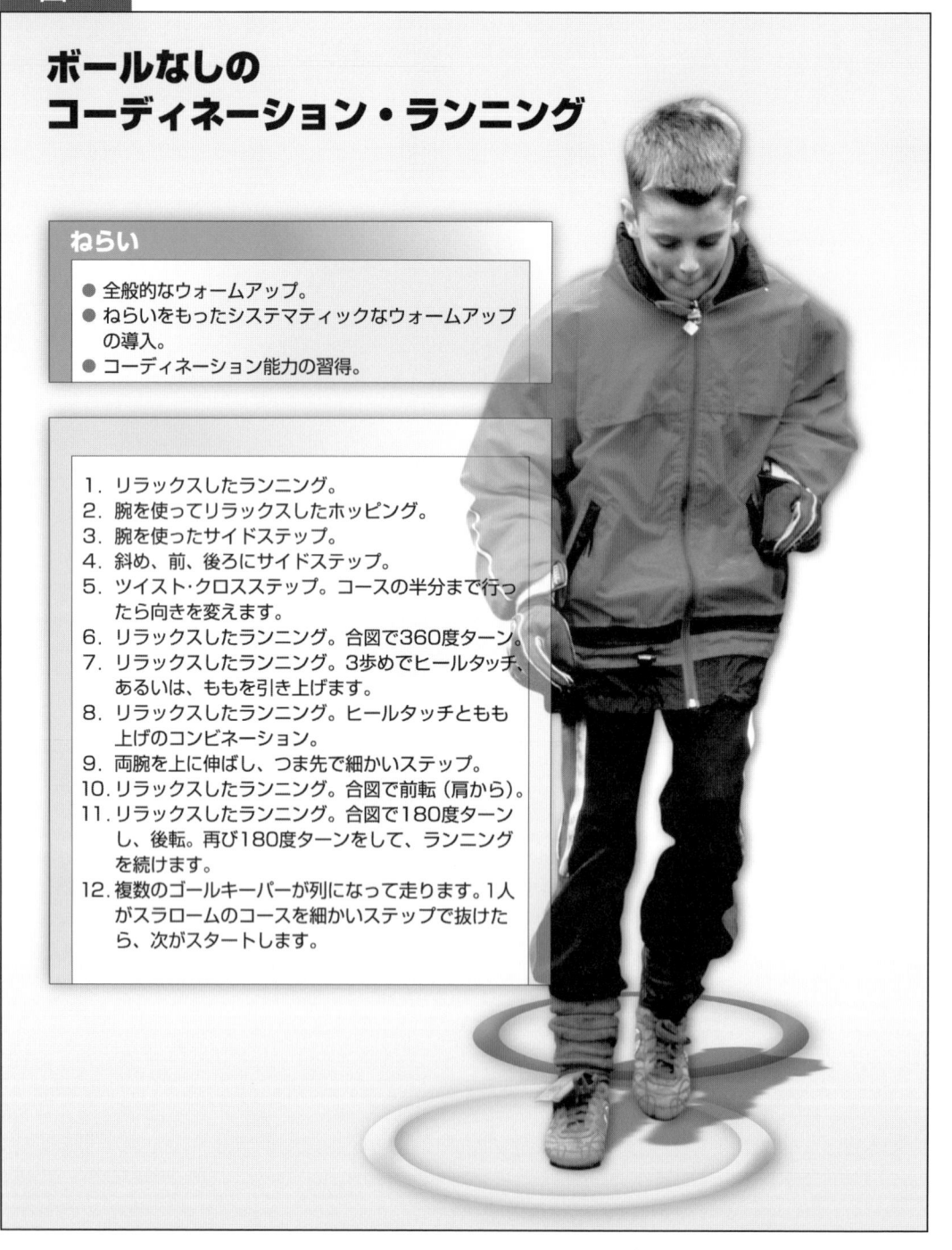

ボールなしの
コーディネーション・ランニング

ねらい

- 全般的なウォームアップ。
- ねらいをもったシステマティックなウォームアップの導入。
- コーディネーション能力の習得。

1. リラックスしたランニング。
2. 腕を使ってリラックスしたホッピング。
3. 腕を使ったサイドステップ。
4. 斜め、前、後ろにサイドステップ。
5. ツイスト・クロスステップ。コースの半分まで行ったら向きを変えます。
6. リラックスしたランニング。合図で360度ターン。
7. リラックスしたランニング。3歩めでヒールタッチ、あるいは、ももを引き上げます。
8. リラックスしたランニング。ヒールタッチとももあげのコンビネーション。
9. 両腕を上に伸ばし、つま先で細かいステップ。
10. リラックスしたランニング。合図で前転（肩から）。
11. リラックスしたランニング。合図で180度ターンし、後転。再び180度ターンをして、ランニングを続けます。
12. 複数のゴールキーパーが列になって走ります。1人がスラロームのコースを細かいステップで抜けたら、次がスタートします。

■ 年齢に即したウォームアップ

ボールを使ったコーディネーション・ランニングフォーム

練習1

　各自ボールを1個ずつ持ち、各自で動きます。1つのランニングコースをドリブルし、次の2つのコースはボールなしでコーディネーション課題を行います（ボールなしのコーディネーション・ランニングフォームを参照）。

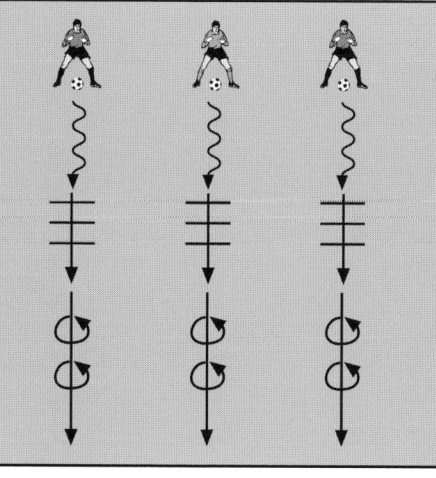

バリエーション

1. 右足だけ、左足だけでドリブルします。
2. ボールを左右交互のインサイドでプレーします。
3. ボールを左右のソールで左右に持ち出します。
4. ボールを少しドリブルして、次に、その場で左右で細かく往復。再びドリブルします。
5. ドリブルからボールを少し前に出し、身体の軸でターンして再びドリブルします。

ねらい
- 全般的なウォームアップ。
- コーディネーション能力の習得。
- テクニック能力の習得（バックパスに対する取り組み）。

練習2

　各自ボールを1個ずつ持ち、各自で動きます。各ランニングコースをボールを持って進みます。
　ゴールキーパーはボールを左右の手で交互に弾ませながら走ります。

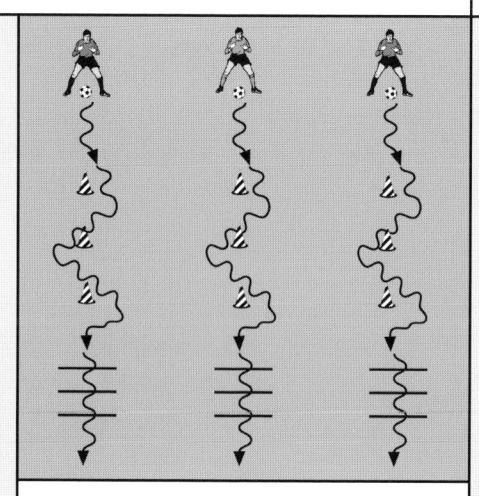

バリエーション

1. 力強く弾ませ、左右交互にホッピング。
2. ランニングをしながら力強く弾ませ、素速く1回転ターンし、再びボールを弾ませます。
3. 右手でボールをつきます。ボールを1回力強く弾ませ、GKは横にその下をくぐり抜け、今度は左の手でつきます（常にサイドと手を入れ替える）。
4. 歩きながら、脚の下を通して、8の字にボールを動かします（左右の手交互）。

ねらい
- 全般的なウォームアップ。
- モチベーションを高めるランニング。
- コーディネーション能力の習得。
- ゴールキーパーの専門的テクニックの習得。
- ボール感覚とアジリティ（敏しょう性）の向上。

練 習 3

各自ボールを1個ずつ持ち、各自で動きます。各ランニングコースをボールを持って進みます。

ゴールキーパーは歩きながら、両脚の間をボールを8の字に通します。コーチの合図で止まり、両脚を横に開き、ボールを両手で後ろから両脚を通して転がし、ボールに対して飛び込みます（左右交互）。

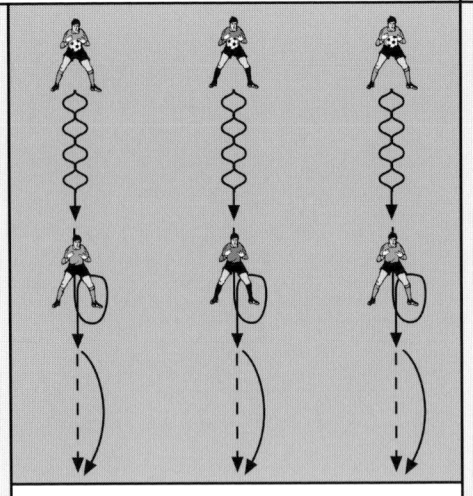

バリエーション

GKは片脚を1歩前に出し、ボールを右（左）手で右（左）から両脚の間を通し、サイドにダイブして出します。

ねらい
- 練習2と同じ。

練 習 4

各自ボールを1個ずつ持ち、各自で動きます。各ランニングコースをボールを持って進みます。

ゴールキーパーは走りながら、ボールを左右交互に腰の高さで身体の周りを回します。

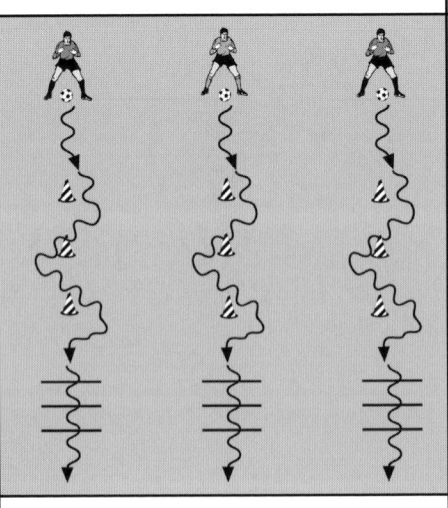

バリエーション

1. ボールを1回身体の周りを回したら、右（左）手で身体の上を通して逆サイドに投げます。以下同様に続けます。
2. 走りながらボールを右膝と左膝で高く蹴り上げ、キャッチします。
3. 走りながらボールを手から落とし、左足と右足で交互に蹴り上げキャッチします。

ねらい
- 練習2と同じ。

練習5

2人のゴールキーパー（各自ボール1個）で行います。

横に並んで走りながら、合図でボールを同時に投げ合います（片方のボールは高く、もう片方はライナーで投げる）。

ねらい
- 練習2と同じ。

バリエーション
1. 同じ練習で、今度はGKがサイドステップで動きます。
2. 2人のGKが横に並んで走り、合図でボールを地面に弾ませ、素早く左右を入れ替わって相手のボールをキャッチします。

練習6

2人のゴールキーパー（各自ボール1個）で行います。

2人は縦に並んで走ります。合図で前のGKが自分のボールを地面に強く弾ませ、前にスタートします。2人めのGKは自分のボールを前のGKの頭越しに投げます。2人は相手のボールにスタートし、できるだけ早く確保します。

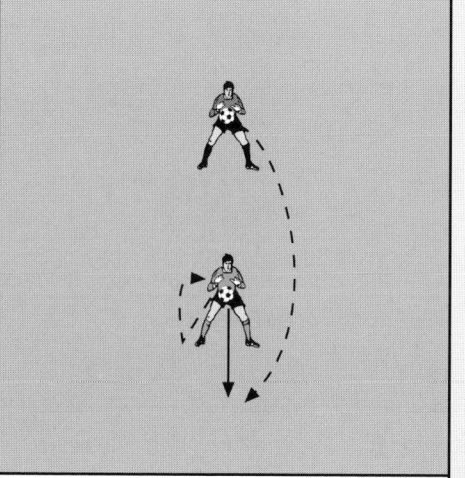

ねらい
- 練習2と同じ。

バリエーション
1. 2人のGKの距離を少し広げます。前のGKは自分のボールを開いた両脚の間から後ろに投げます。2人めは自分のボールを前のGKの頭越しに投げます。2人は相手の投げたボールをできるだけ早く確保します。
2. 前のGKは、自分のボールを頭上高く投げ上げ、後ろのGKは、すぐに反応して、自分のボールを相手の頭越しに前に投げます。2人はボールをできるだけ早く確保します。

ボールを使ったランニング練習（コーチあり）

練 習 1

　2人のゴールキーパーとコーチで練習します。2人のGKがボールを1個ずつ持ちます。

　コーチは2人のGKの間を走ります。コーチの合図で、1人のGKが自分のボールを投げます。コーチはそのボールを高く投げ上げ、GKがランニングからそのボールを空中でキャッチします。

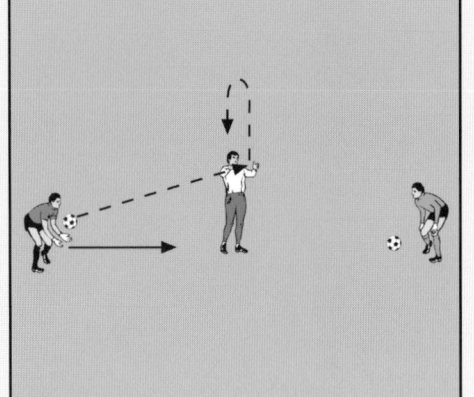

バリエーション

1. 1人のGKがボールをコーチに投げ、1回転ターンし、ボールをキャッチします（コーチがボールを少し遅らせて高く投げ、GKがターンをする時間をつくる）。
2. GKは前転をしてからキャッチします。

ねらい
- 全般的ウォームアップ。
- モチベーションを高めるウォームアップ。
- コーディネーション能力の習得。
- ゴールキーパーの専門的テクニックの習得。
- ボール感覚とアジリティ（敏しょう性）の向上。

練 習 2

　練習1と同じ。コーチの声の合図で2人のゴールキーパーはボールを自分の前に高く投げ、2人で互いの位置を入れ替わり、パートナーが出したボールを空中でキャッチします。

アドバイス：2人が衝突しないように、ランニングコースをあらかじめ設定します。ボールを投げるタイミングが重要です。この練習が難しすぎる場合には、まずはボール1個で行います。

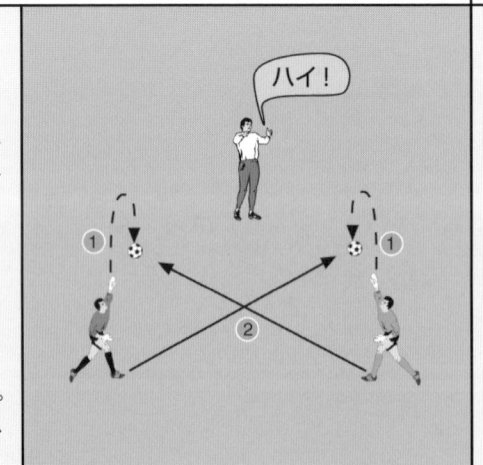

バリエーション

1. 1人のGKが自分のボールを空中高く投げ上げ、もう1人は自分のボールを地面に力強く弾ませます。
2. 1人のGKが自分のボールを空中高く投げ上げ、もう1人が自分のボールを落とします。

ねらい
- 練習1と同じ。

練習3

練習2と同じ。コーチの声の合図で2人のゴールキーパーは、自分のボールを同時に前方に転がします。互いのコースを素速く入れ替わり、相手が転がしたボールにダイブします（右から来たGKは右から、左から来たGKは左から）。

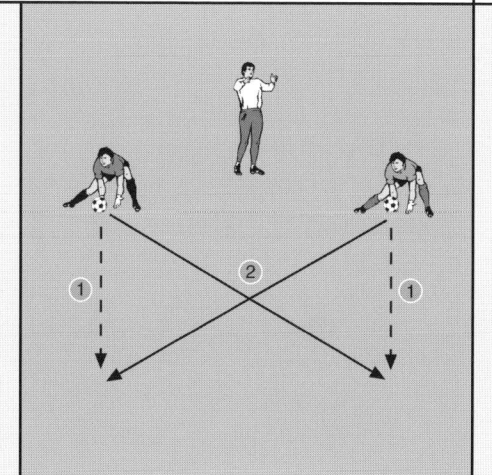

バリエーション

コーディネーション課題を行ってから、ボールにダイブします（1回転ターン、前転等）。

ねらい
- 練習1と同じ。

練習4

2人のゴールキーパーとコーチで練習します。GKはボールを持たず、縦に並んで走ります。コーチがボールを持ってその横に立ちます。コーチの合図で前のGKが止まり、両脚を開きます。後ろのGKが開いた両脚の間をくぐり、コーチが出したグラウンダーのボールにダイブします。

次に、役割を交替します。

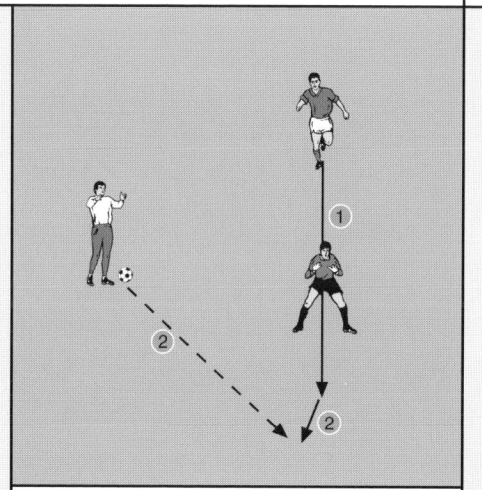

バリエーション

1. 左と同様。GKは前転をしてから、ボールにダイブします。
2. コーチの合図で前のGKは止まり、四つんばいになります。後ろのGKがそれを飛び越え、コーチが高く投げ上げたボールをキャッチします。

ねらい
- 練習1と同じ。

ゲーム形式1

練習1

10m×10mのフィールドに、2人のゴールキーパーが入ります（人数は4人が最適）。フィールドの中央に2m幅のコーンゴールを2または3つ作り、両ハーフに分けます。各自ボールを1個ずつ持ち、2グループから各1人のGKが左、もう片方が右のハーフに入ります。

互いにぶつからないように、またフィールドから出ないように、GKはドリブルをします。コーチの合図で任意のコーンゴールの間にボールを通し、パートナーからのボールを受け、またドリブルします。

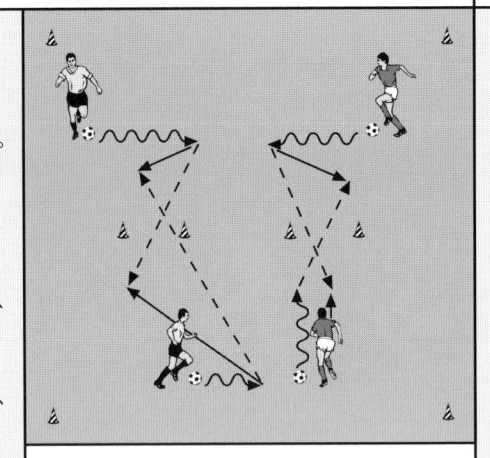

ねらい
- モチベーションを高めるウォームアップ。
- コーディネーション能力の習得。
- GKの専門的テクニック、全般的テクニックの習得。
- ボール感覚とアジリティ（敏しょう性）の習得。

バリエーション

1. 2人のGKが、以下の方法でパートナーとボールを受け渡しします。

 互いにドリブルし、1つのコーンゴールでストップし、すぐに反対のハーフのパートナーのボールをドリブルします。アイコンタクトでコーンゴールを合わせます。

2. 2人のGKが、同じコーンゴールにボールを通し、コーンゴールを回って反対のハーフの自分のボールを再びドリブルします。

練習2

練習1と同じ。

ゴールキーパーはボールを左右交互の手でつきます。コーチの合図でボールを1回地面に力強く弾ませ、コーンゴールの間を通って反対のハーフに行き、パートナーのボールをできるだけ早く身体に確保します。

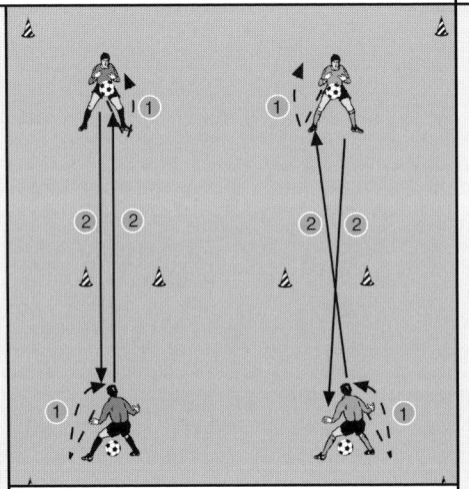

ねらい
- 練習1と同じ。

バリエーション

GKは、まずコーディネーション課題（1回転ターン、前転等）をしてから、反対のハーフへ向かいます。

U-12（10-12歳）　5章

ゲーム形式2

練習1

10m×10mのフィールドの中で、複数のゴールキーパーがボールを持って動きます。フィールドは、2m幅のコーンゴールを中央に置き、両ハーフに分けます。

GKはボールをドリブルします。合図でコールされたGKが自分のボールをコーチに正確にパスし、サイドステップでコーンゴールを通り、コーチが出したグラウンダーのボールにダイブします。

バリエーション

GKはまずコーディネーション課題を行ってから、グラウンダーのボールにダイブします（身体の軸でターン、前転、腹ばい、コーンを回って走る、等）。

ねらい
- モチベーションを高めるウォームアップ。
- コーディネーション能力の習得。
- GKの専門的テクニック、全般的テクニックの習得。
- ボール感覚とアジリティ（敏しょう性）の習得。

練習2

練習1と同じ。
互いにぶつからないように、またフィールドを出ないように、ゴールキーパーは片方のハーフでボールをドリブルします。コーチの合図で全員が自分のボールを持ってコーンゴールを通過し、反対のハーフへ行きます。以下同様に続けます。

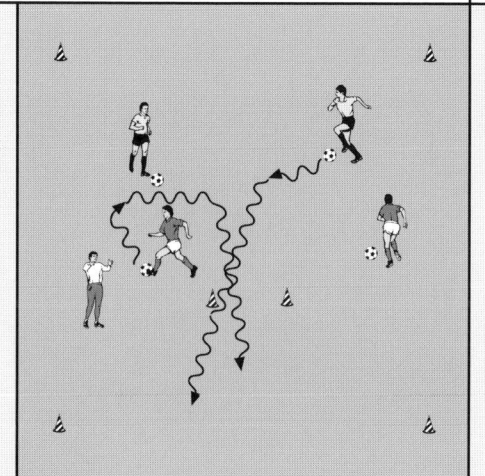

バリエーション

1. GKは合図でコーンゴールにボールを通し、1回転ターンし、ボールを追って反対のハーフへ向かいます。
2. GKは、前転をしてからボールに走ります。

ねらい
- 練習1と同じ。

練習3

練習2と同じ。

互いにぶつからないように、またフィールドを出ないように、ゴールキーパーは片方のハーフでボールをドリブルします。コーチの合図で自分のボールを止め、コーンゴールを通過して反対のハーフに走り、前転をして、再びコーンゴールを走って通過し、別のボールをとってドリブルを続けます。

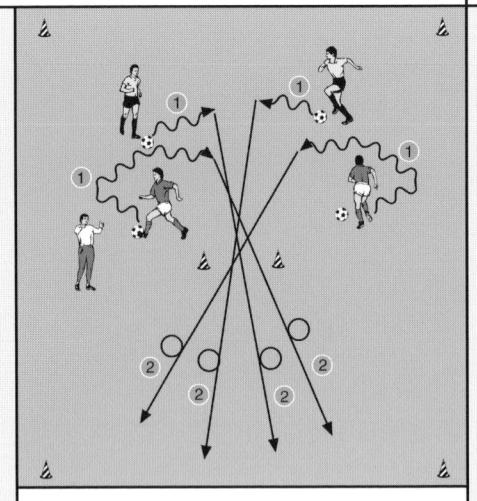

バリエーション

競走にします。1人だけボールを持たずに行います。戻ってきたときにボールを持たないGKは誰？

ねらい
- 練習1と同じ。

ゲーム形式3

練習1

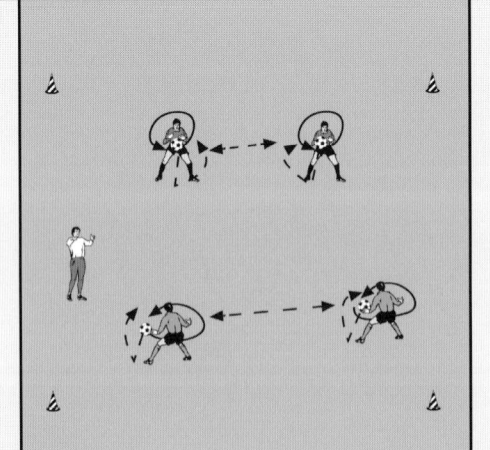

10m×10mのフィールドで、2人のゴールキーパーが動きます（4人が最適）。各GKがボールを1個ずつ持ちます。

GKは左右の手で交互にボールをつき、走りながらパートナーとボールを受け渡します。

バリエーション

1. GKは、走りながらボールを投げ交わします。
2. ボールを交換した後、自分のボールを少し前に転がし、自分でダイブします（アドバイス：左からと右からとの交互）。
3. コーディネーション課題を実施してから、ボールにダイブします（1回転、前転等）。

ねらい
- モチベーションを高めるウォームアップ。
- コーディネーション能力の習得。
- GKの専門的なテクニックの習得。
- ボール感覚とアジリティ（敏しょう性）の向上。

練習2

練習1と同じ。

ゴールキーパーは、走りながらボールを腰の高さで身体の周りを回します。コーチの合図でボールを1回力強く地面に弾ませ、パートナーのボールに走り、できるだけ早くボールを身体に確保します。ぶつからないように走るコースを決めておきます。

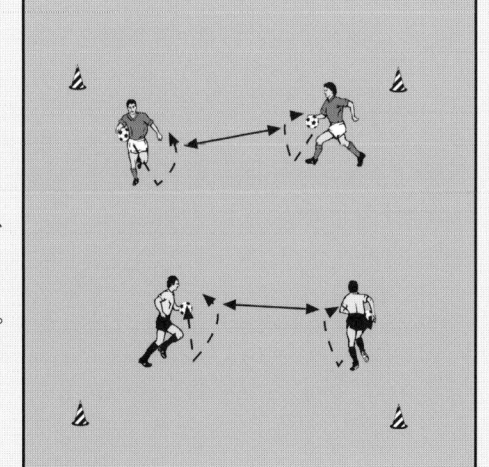

ねらい
- 練習1と同じ。

バリエーション

1. GKは、自分のボールを前から自分の脚の間を通して弾ませ、パートナーのボールに走り、できるだけ早くボールを抱え込んで身体に確保します。
2. GKは自分のボールを高く投げ上げ、パートナーのボールに走り、ボールを空中でキャッチします。

個々のテクニックの実践的練習フォーム

ライナーのボールのキャッチ（正面およびサイドからのボール）

　U-12のゴールキーパーが基本テクニックをマスターしたら、要求の高い練習形式にトライすることができるようになります。各テクニックの要求の特徴に従って、それぞれに3つの基本練習を紹介します。これはバリエーションをつけたり、互いに組み合わせて行ったりすることができます。テクニック練習を独立させて行うことはしません。コーディネーション練習、あるいはその他のゴールキーパーの専門的なテクニックと、常に組み合わせて行うことにします。

　戦術的な要素である「ポジショニング」「セットプレーの対応」「攻撃時のプレーの組み立て」「1対1」「ボールをめぐる競り合い」については、基本練習3（P.106～）で扱います。これらの要素は、チーム・トレーニングの中で強調して習得するべきものです。

注意：
　コーディネーションの習得は、独立させずに行います。ウォームアップ・プログラムで、あるいはテクニック練習と組み合わせて行うほうがよいでしょう。

　ゴールを使った練習では、位置感覚を身につけるために、ゴールの中央に目安としてコーンを置いてもよいでしょう。

テクニックとコーディネーション

基本練習1 A
　3m幅のコーンゴールを作り、ゴールキーパーはその左ポストに入ります。コーチはボールを持ち、ゴール正面5mの位置に入ります。コーチはGKにライナーのボールを蹴ります。GKはこのボールをキャッチし、コーチに投げて返し、素速く右に1回転ターンして右のポストで基本姿勢をとります。そこでコーチからの次のライナーをキャッチします。以下同様に続けます。

バリエーション
1. GKは1回転ターンし、素速く細かいステップでコーンを回ってから基本姿勢をとります。
2. GKは1回転ターンし、ポストに背を向けて立ちます。バックランニングでポストを回ってから基本姿勢をとります。

ポイント
- 軽い構えから、ボール方向に動きます。上体を少し前傾させます。
- 両腕と両手は、ボールに向けて伸ばします。
- 両肘はできるだけ締めます。

U-12（10-12歳） 5章

基本練習1B
　3m幅のコーンゴールを作り、ゴールキーパーはその2m前に座ります。コーチはボールを持ち、ゴール正面5mの位置に入ります。コーチの合図でGKは後転をして、手を使わずに素速く立ち上がり、コーチが正面に出したライナーをキャッチします。ボールをコーチに投げ返し、前転をして、再びゴール前中央に座ります。

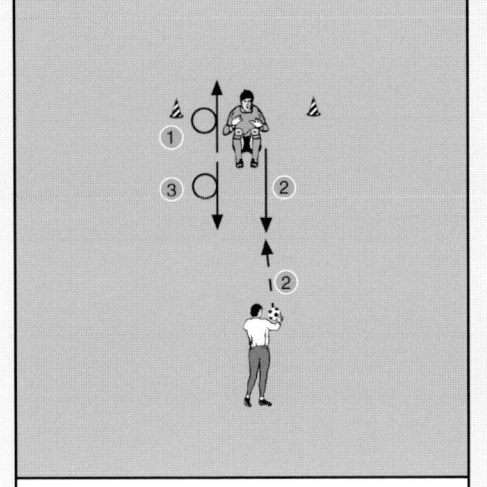

バリエーション
1. GKは膝立ちになり、コーチからの正面へのライナーをキャッチし、コーチに投げ返します。続いて、コーチが身体の横に出す次のボールをキャッチし、サイドにローリングし、肘の力を使って弾みをつけて再び立ち上がります。ローリングの動きの間、ボールは身体に抱え込んで確保しておきます。
2. GKは、コーチからの正面のライナーを立ってキャッチします。立った状態から同様にローリングをします。

ポイント
- 基本練習1Aと同じ。

複数のゴールキーパーでのテクニック練習

基本練習2A
　2人のゴールキーパーが10mの距離で向かい合って立ちます。2人とも7m幅のゴールの中央に入ります。両GKの後ろには、コーンを1個置きます。GK1がボールを片手のアンダーハンドで、GK2に正面の腰から胸の間の高さにライナーを投げます。続いて、GK2がGK1に同様に投げます。

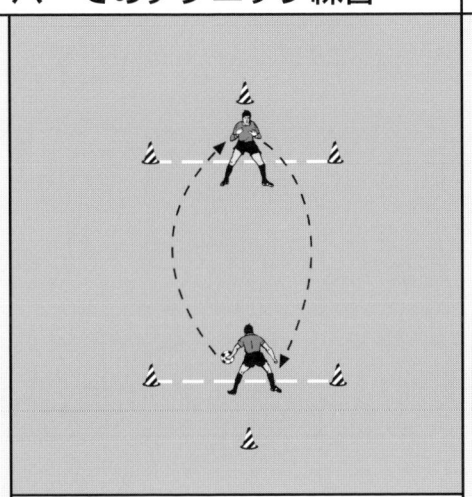

バリエーション
　コーチがボールを持ち、両GKの間の5m横に入ります。GK1はボールをGK2に出した後、コーチのほうを向き、基本姿勢をとって、コーチがサイドから出すライナーをキャッチします。ボールをコーチに投げ返し、GK2のほうを向き、基本姿勢をとります。GK2はGK1にライナーのボールを出し、コーチのほうを向いて基本姿勢をとります。コーチがサイドから出すライナーをキャッチします。以下同様に続けます。

ポイント
- 両手と両腕で、飛んで来るボールのスピードを吸収します。
- 上体はボールに軽くかぶせ、両手でボールを包み込みます。

105

基本練習2B

　基本練習2Aと同じ。
　GK1はGK2にインサイドでグラウンダーを出し、コーチのほうを向き、基本姿勢をとって、コーチがサイドから出すライナーのボールをキャッチします。GK2は、GK1からパスされたボールをできるだけ長く両足の間でタッチし、GK1がコーチにボールを返すのを待ちます。GK1がコーチにボールを返したら、GK2はGK1にパスをし、コーチのほうを向いて基本姿勢をとり、コーチがサイドから出すライナーのボールをキャッチします。その間、GK1がボールを両足の間でタッチします。以下、同様に続けます。

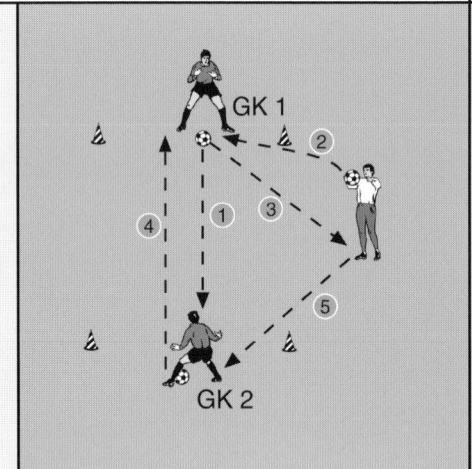

ポイント
- 基本練習2Aと同じ。

バリエーション
1. コーチがサイドから高いボールを投げ、GKはそれをキャッチして投げ返します。
2. コーチはサイドからグラウンダーを出し、GKはそれを足で1タッチで返します。

ゴールを使った練習フォーム

基本練習3A

　ゴールキーパーは大ゴールの中央に立ちます。コーチはボールを2個持って、ゴール正面10mの位置に入ります。1個のボールを両手で持ち、もう1個は足元に置きます。最初のボールをドロップキックでライナーでGKに出します。GKはこれをキャッチし、コーチに投げ返します。次に、コーチは2個めのボールをグラウンダーでGKの横に出します。

ポイント
- 軽く足を動かして構え、ボール方向に動く、上体を軽く前傾させます。
- 腰、体側、肩へローリング。

バリエーション
1. コーチは2個めのボールをGKの正面に高く出し、GKはそれをキャッチしてコーチに投げ返します。
2. 2人めのGKが、ゴール前正面15mの距離に入る。GK1はボールをキャッチしたら、GK2にアンダーハンドのグラウンダーで出し、GK2はそのボールをインステップでシュートします。シュートが決まったら、または一定回数行ったら、ポジションと役割を交代します。
3. GK2は、インサイドでグラウンダーボールをねらって蹴ります。

U-12（10-12歳）　5章

基本練習３Ｂ
　大ゴールのゴールエリアのラインを２個のコーンで３等分します。GK1はゴール前、GK2から見て、右側に立ち、GK2はゴールライン上ゴールの正面のコーンのところに立ちます。GK2は基本姿勢で、GKの位置を確認します（想定ライン：ゴール中央－ボール）。コーチはボールを持ってGK1の前５ｍの位置に立ちます。コーチはライナーをGK1の正面に出します。GK1はそれをキャッチし、コーチに投げ返します。コーチとGK1が位置をゴールの左に変え、同様に続けます。

ポイント
- 基本練習３Ａと同じ。

バリエーション
　GK1が各ゴール内で２回ずつ行ったら、GK2とポジションと役割を交代します。

基本練習3C
　GK1は、大ゴールの中央に立ちます。GK2は、ゴール前中央15ｍの位置に立ちます。コーチがサイドからGK1にライナーのボールを蹴ります。GK1はそれをキャッチし、GK2にアンダーハンドのグラウンダーで出します。GK2はそのボールを受け、１対１からシュートを決めようとします。

ポイント
- 基本練習３Ａと同じ。

バリエーション
　GK2が、ゴール前中央10ｍの位置に立ちます。コーチがGK1にライナーを蹴ります。GK1はそれをキャッチし、GK2にドロップキックでライナーを蹴ります。GKはすぐにまたコーチのほうを向きます。コーチは次のボールをゴールのニア側の隅をねらってグラウンダーで蹴ります。GK1はそれをサイドにディフレクティングし、素早く起き上がります。GK2がアンダーハンドのグラウンダーでコースをねらってゴールを決めようとします。

107

ハイボールのキャッチ（正面、およびサイドからのボール）

　ハイボールのキャッチは、U-12のゴールキーパーから導入します。大フィールドでのゲームへの移行に際して特に重要となります。
　ハイボールのキャッチのテクニックの質を高め、さまざまなスペースで適応させていきます。
　クロスの際のゴールキーパーのポジションは、基本として非常に重要です。適切な基本姿勢をとり、判断を下します（「ゴールラインを離れるか否か？」）。それをゴールキーパーはできるだけ早く味方に伝えなくてはなりません。

◎**判断基準**：
1．クロスはどれくらいの距離、どのようなポジションから来るのか？
2．ボールが到達するまでの時間はどれくらいか？
3．ボールの「難しさ」はどれくらいか（強さ、カーブ等）？

　ゴールキーパーの専門的テクニックの改善は、基本的にゴールキーパー・トレーニングでの内容です。それに対してゴールキーパーの戦術行動は、主にチーム練習の中でトレーニングされるものです。

テクニックとコーディネーション

基本練習1A

　GK1とGK2が、10mの距離で向かい合って、5m幅のコーンゴールの中に立ちます。コーチがボールを持って、5mサイドに立ちます。コーチの合図で2人のGKは前転をします。コーチはGK1にハイボールを投げます。GK2はその間に、GK1の前を通ってコーンゴールAに移ります。GK1はキャッチしたボールをコーチに投げ返し、コーンゴールBへ移ります。以下同様に続けます。

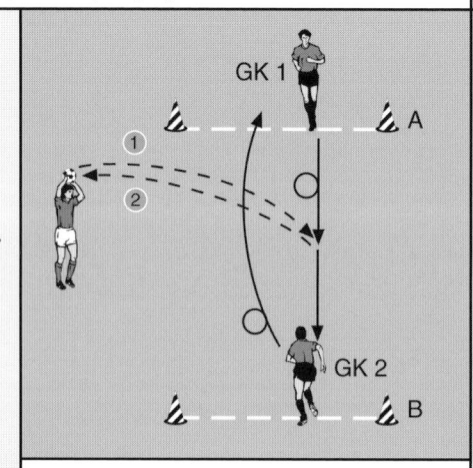

ポイント
- ボールをできるだけ早く、頭の前または上でキャッチします。
- ハイボールをジャンプして最高点でキャッチします。その際、足、膝、股関節を伸ばします。

バリエーション

1．GKは、両ゴールの中間に背中合わせに立ちます。コーチの合図で前転をし、ターンします。コーチはハイボールをサイドからGK1に投げます。GK1はそれをキャッチし、コーチに投げ返します。2人のGKは互いのサイドを交代します。

2．2人のGKは細かいサイドステップで右に動き、中央に戻ります。GK1がボールをキャッチします。

基本練習1B

基本練習1Aと同じ。ゴールキーパーの3m前に、もう1個コーンを置きます。コーチの合図で2人のGKは同時に前に走り、コーンにタッチしてコーチのほうを向きながらサイドステップでゴールに戻ります。コーチがサイドからGK1にハイボールを投げます。GK1はキャッチし、コーチに投げ返します。2人のGKは互いのサイドを交代します。

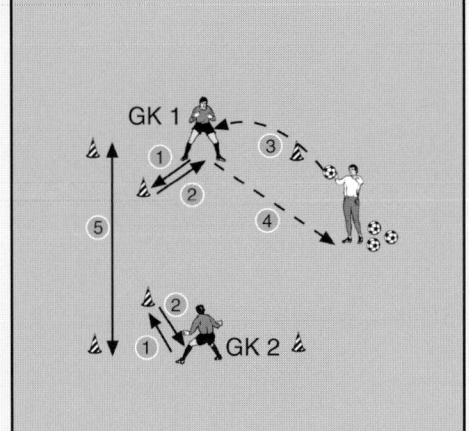

バリエーション

1. 前のコーンにタッチしたら後転をします。
2. 2人のGKはまず前のコーンを回り、バックランニングでゴールに戻ります。コーチはボールをサイドからGK1に投げます。GK1はこれをキャッチし、コーチに投げ返します。両GKは互いにサイドを交代します。
3. GKは前転をしてから、前のコーンに向かいます。

ポイント

- 全体の動きをなめらかにします。
- ハイボールをジャンプして最高点でキャッチします。その際、足、膝、股関節を伸ばします。

複数のプレーヤーでテクニックトレーニング

基本練習2A

GK1は、5m幅のコーンゴールに入ります。コーチがボールを持って、6m離れたサイドに入ります。GK2はゴール前約6mの位置に入ります。

コーチはGK1にハイボールを投げます。GK1はそれをキャッチし、GK2に投げます。GK2がGK1にハイボールを投げます。GK1はそのボールをキャッチし、コーチに返します。GK1は常にコーンゴールの中央にいるようにします。一定回数行ったら、ポジションと役割を交代します。

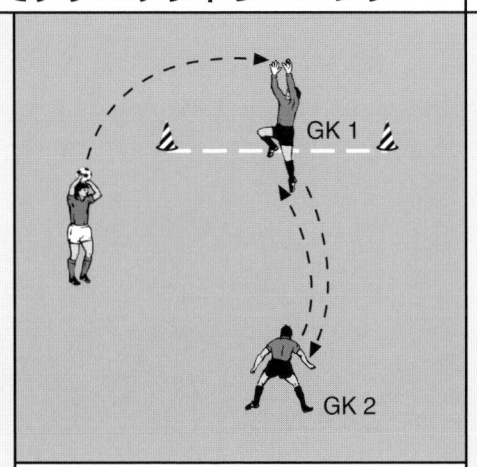

バリエーション

ボールをコーチまたはGK2に投げ返したら、GK1はコーンゴールの方向に後転をします。

ポイント

- ボールを注視します。
- 思い切った踏み切りから腕を使ってジャンプします。
- 腕をボールに向けて、上あるいは前に伸ばします。

基本練習2B

基本練習2Aと同じ。

コーチとGK2がボールを1個ずつ持ちます。GK1はコーチが出したハイボールをキャッチし、投げ返して、GK2のほうを向いてサイドステップでゴールに戻り、次に、GK2が出したハイボールをキャッチします。GK1はボールをGK2に投げ返し、コーチのほうを向いてサイドステップでゴールに戻ります。

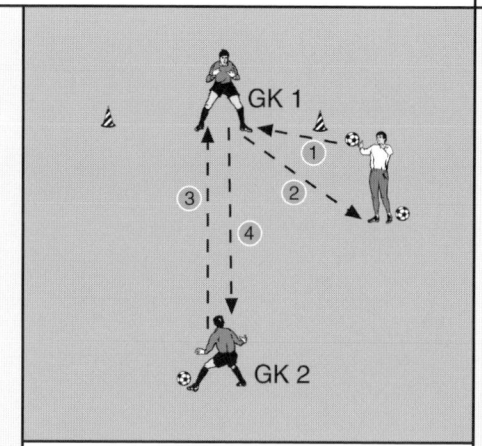

バリエーション

1. ハイボールを少しサイドに出し、キャッチの際にプレッシャーをかけます。しかし、このテーマはキャッチの練習であり、競り合いではありません。
2. GK2は、ボールをGK1の方向に力強く弾ませます。

ポイント

- ボールを注視します。
- 思い切った踏み切りから腕を使ってジャンプ。
- 腕をボールに向けて、上あるいは前に伸ばします。
- 前足部に重心をかけて走ります。

ゴールを使った練習トレーニング・フォーム

基本練習3A

GK1は、大ゴールの中央に入ります。コーチはボールを持って7m前に立ちます。GK2はコーチの後ろ、ペナルティエリアのライン上のコーンのところに立ちます。コーチはGK1の正面にライナーを蹴ります。GK1はそれをキャッチして、コーチに投げ返します。数本蹴った後、コーチはハイボールを投げます。GK1はそれをキャッチし、アンダーハンドでグラウンダーをGK2に出します。GK2はインステップでシュートをねらいます。

ゴールが決まったら、または数回行ったら、ポジションと役割を交代します。

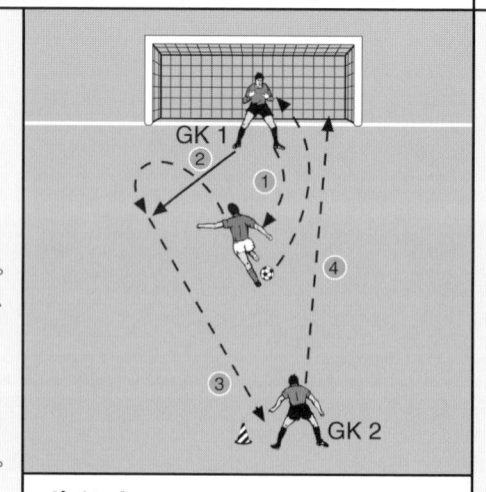

バリエーション

1. キャッチの際にコーチがGKを妨害します。
2. コーチはボールをGKの方向に力強く弾ませ、キャッチの際に妨害します。

ポイント

- ボールに対し両手を扇形に出してつかみます。
- ボールに触れた瞬間に腕を曲げ、ボールを身体に向かって引き込むようにします。
- 常に片足踏み切りでジャンプします。

基本練習3B

　GK1は、大ゴールの中央に入ります。コーチは5m横に入ります。GK2はボールを持って、約12mの距離のコーンの位置に入ります。コーチはハイボールをGK1に投げます。GK1はそれをキャッチし、コーチに投げ返します。次に、GK2のほうを向き、GK2が投げたライナーをキャッチします。GK2に投げ返し、再びコーチのほうを向きます。数回行ったら、ポジションと役割を交代します。

ポイント
- 基本練習3Aと同じ。

バリエーション
　コーチがGK1にハイボールを投げ、GK1はそれをキャッチしようとします。GK2は、そのボールをヘディングシュートしようとします。

基本練習3C

　基本練習3Bと同じ。コーチはGK1にハイボールを投げます。GK1はそれを空中でキャッチします。その後すぐに、GK2の方向にスタートします。GK2はゴール方向にスタートします。GK1がコーンを回ったら、ボレーかドロップキックでゴールをねらいます。GK2はそのシュートを防ぎます。次に、コーチはGK2にハイボールを投げます。以下同様に続けます。

ポイント
- 基本練習3Aと同じ。

バリエーション
　GKはさまざまな体勢からスタートします（例；腹ばい、あおむけ、腕立て）。

グラウンダーのボールに対し、倒れ込み／ローリング

テクニックとコーディネーション

基本練習1A

ゴールキーパーはコーンのところに立ちます。その2m前に、3個のコーンで3m幅のゴールを2つ作ります。コーチはボールを持ってその5m前に入ります。コーチのコール（「A」または「B」）で、GKはまず中央のコーンを回ってから、コーチがコールしたゴールに出したグラウンダーのボールをセーブします。中央のゴールは少し下げておき、GKがボールに対して前向きに動くようにします。

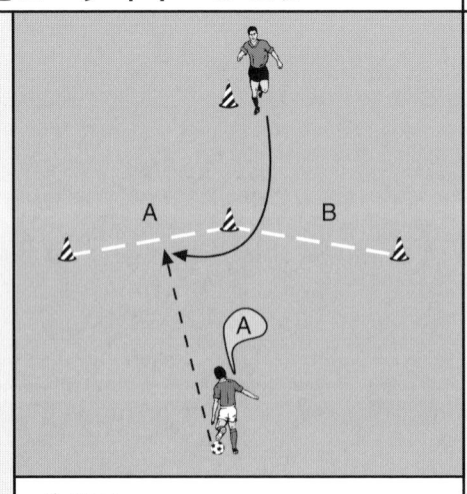

ポイント
- 腰、体側、肩へのローリング。
- 「ボールを前で押さえる」：グラウンダーが右に来たときは右足で1歩小さく出てから、できるだけ早くボールをセーブします。

バリエーション

GKがまず前転をしてから、中央のコーンに向かって走ります。

基本練習 1B

ゴールキーパーは1個のコーンのところに立ちます。その3m前に、もう1個コーンを置きます。コーチはボールを持って、その3m前に入ります。両コーンを結んだラインの1m左右に5m幅のゴールAとBを作ります。コーチの合図でGKは前のコーンに向かってスタートし、コーンにタッチしてバックランニングで戻って後ろのコーンを回り、コーチが出したグラウンダーに対し、ゴールを守ります。

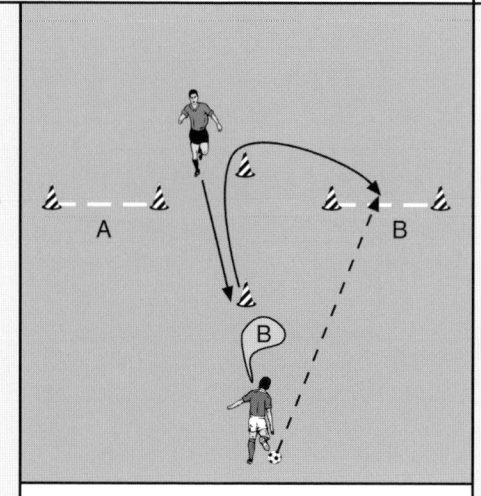

ポイント
- 基本練習1Aと同じ。

バリエーション
1. GKは前転をしてから、前のコーンに向かってスタートします。
2. 前のコーンにタッチしたら、後転をします。
3. さまざまな体勢からスタートします。

複数のゴールキーパーでテクニック練習

基本練習 2A

GK1は、6m幅のコーンゴールの中央に立ちます。GK2は、GK1のすぐ右横で四つんばいになります。コーチはボールを持ってGK1の前5mの位置に入ります。コーチの合図でGK1はGK2の後ろを回り、片足踏み切りでGK2を跳び越し（後ろの足で踏み切り）、コーチが出したグラウンダーにダイブします。数回行ったら、ポジションと役割を交代します（両サイドともトレーニングします）。

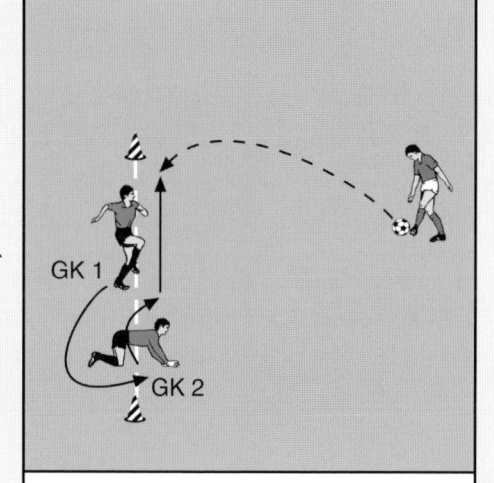

ポイント
- ボールを抱え込んで身体に確保します。
- 肘を身体の前に保ちます。
- サイドステップの動きからボールに倒れ込みます。

バリエーション
1. GK2は腕立てをします。GK1はGK2の後ろを回り、その下をはってくぐり、コーチの出すグラウンダーにダイブします。
2. GK1はまずGK2の下をくぐり、跳び越えてから、コーチの出すグラウンダーにダイブします。

基本練習2B

　2人のゴールキーパーが一緒にトレーニングします。GK1が6m幅のコーンゴールの中央に、コーチに頭を向けてあおむけになります。コーチはボールを持って、ゴールから5mの位置に入ります。GK2がボールを持って、コーチの右3m横に入ります。コーチの合図でGK1は右肩側に回って腹ばいになり、素速く立ち上がり、GK2が出したグラウンダーを受け、左足のインサイドで1タッチで返します。次に、コーチが右側に出したグラウンダーにダイブします。

ポイント
- 肘は身体の前。
- ボールを身体に確保します。

バリエーション
1. GK2はGK1にライナーのボールを投げ、GK1はそれをボレーで返します。
2. GK1は、GK2からの左サイドへのグラウンダーをセーブし、コーチからの右サイドへのボールをセーブします。

ゴールを使った練習フォーム

基本練習3A

　GK1は大ゴールに入ります。コーチはボールを持って、右斜め前5mの位置に入ります。GK2はボールなしで、ペナルティエリアの左角に立ちます。GK3はボールを持って、ゴールエリアの右角に入ります（それぞれコーンを1個ずつ置きます）。コーチはGK1にハイボールを投げます。GK1はこれをキャッチし、GK2にアンダーハンドのグラウンダーでボールを出します。GK3がこの瞬間に、GK1から見てゴールの右隅にグラウンダーを蹴ります。GK1はこれをセーブし、立ち上がって、GK2が左隅に蹴ったシュートにダイブします。

ポイント
- ボールに両手を出します。
- ボールを注視します。

バリエーション
　GK1はコーチのほうを向いて、右ポストにつきます。コーチはグラウンダーを出し、GK1は左サイドにダイブして、GK3の方向に弾きます。素速く起き上がり、GK2がゴールの左隅に蹴ったグラウンダーにダイブします。次に、GK3が自分のボールをゴールの右隅に蹴ります。

U-12（10-12歳） 5章

基本練習3B

GK1は、ゴールの6m前で腕立ての体勢になります（脚は開きます）。コーチはボールをいくつか持ってその後ろ。ゴールの左側にコーンを置き、GK2がそこに入ります。コーチがGK1の下を通してゴール方向にボールを出します。GK1は素速く起き上がり、左手でボールをGK2の方向に弾き、再び素速く起き上がります。ターンして、コーチからの2本めの右サイドへのグラウンダーにダイブします。

数回行ったら、ポジションと役割を交代します（両サイドともトレーニングする）。

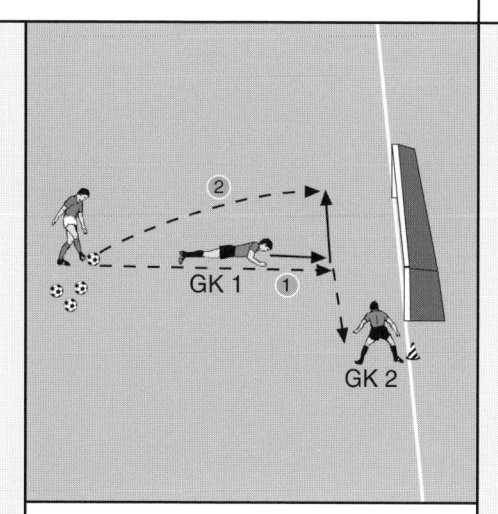

ポイント
- 基本練習3Aと同じ。

バリエーション

もう1人追加。GK3がボールを持って、コーチの右後方、ペナルティエリアのラインの辺りに入ります。GK1が最初のボールをGK2に弾いたら、GK3はインステップでシュートをねらいます。

毎回ポジションと役割を交代します。

基本練習3C

GK1がゴールに入ります。そこから16mの距離に5m幅のコーンゴールを作ります。コーチはボールを持って、コーンゴールの5m後ろ。GK2は、このコーンゴールの（GK1から見て）左ポストに入ります。コーチはGK2のファーポストにグラウンダーを蹴ります。GK2はこのボールにダイブし、素速く立ち上がって向きを変え、ボールを少し前に持ち出し、インステップでGK1に対してシュートをねらいます。シュートが決まったら、または数回行ったら、ポジションと役割を交代します。

ポイント
- 基本練習3Aと同じ。

バリエーション

1. 両GKともあおむけになります。コーチの最初の合図でGK2は腹ばいになった後、素速く立ち上がり、右サイドへのボールにダイブします。GK1は、コーチの2回めの合図で腹ばいになって素速く立ち上がり、ゴールの中央で構えます。GK2は、インステップでシュートをねらいます。

2. GK3が、ドロップキックまたはボレーキックでシュートします。

スローイング、キック、手から離すボレーキック、ドロップキック

テクニックとコーディネーション

基本練習1A

　ゴールキーパーがボールを持ち、5m幅のコーンゴールの中に立ちます。その2m前にもう1個コーンを置きます。そのコーンのさらに5m前にもう1個コーンを置き、そこにコーチが入ります。GKはボールをコーチにスローイングし、前のコーンを走って回り、再びゴールに戻ってコーチのほうを向きます。コーチはボレーでハイボールを蹴ります。GKはこのボールをキャッチし、ボレーでコーチに返します。同じようにコーンを回って戻ります。次に、コーチはドロップキックを蹴ります。GKはこれをキャッチし、同様にコーンを回って戻ります。

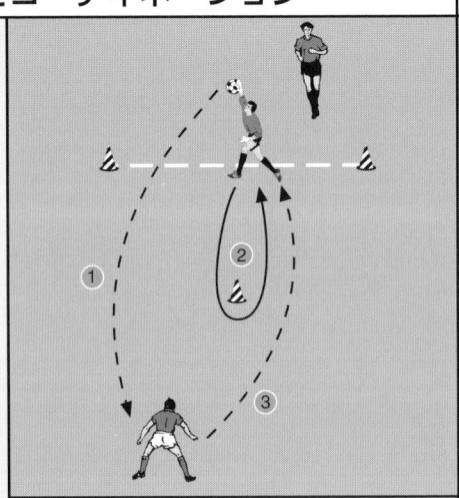

ポイント
- 上体を「開く」ようにします。その際、反対の腕を素早く前に持ってきて、そのすぐ後に投げる腕を振ります。

バリエーション
1. GKは、前のコーンを完全に1周しなくてはなりません。
2. 前転をしてから行います。
3. コーンを回って戻るとき、バックのサイドステップにします。
4. コーンを回ったら後転をして、バックランニングでゴールに戻ります。

基本練習1B

スタートは基本練習1Aと同じ。今度はコーンをゴールの4m前に置きます。コーチはコーンから6m離れた位置。GKはコーチにボールを投げたら前のコーンに走り、そこでコーチが投げたハイボールをキャッチします。ボールを持ったままバックのサイドステップでゴールに戻り、ボレーまたはドロップキックでコーチに返します。同様に続けます。

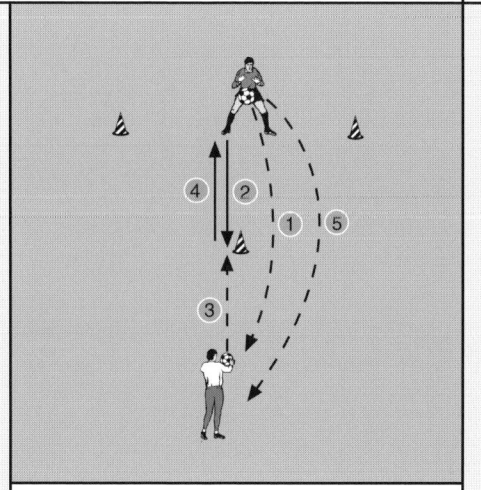

アドバイス
- コーチとGKは、パートナーへのパスの方法にバリエーションをつけます。

バリエーション

GKは最初のボールをコーチにボレーキックで返し、前転をしてからコーンを回ります。コーチはそこにグラウンダーを出します。GKはそのボールを受け、ドリブルしてゴールに戻り、そこからボールを出します。また最初から続けます。

複数のゴールキーパーでのテクニック練習

基本練習2A

4人のゴールキーパーで練習します。GK1（ボールを持つ）とGK2が、5m幅のコーンゴールAの中に入ります。そこから10mの位置のコーンゴールBにGK3とGK4がボールなしで入ります。1は自分のボールを3にスローイングします。3はこれをキャッチし、投げ返します。今度は、1がドロップキックで3に蹴り、ゴールBに移ります。3はこれをキャッチし、2にドロップキックを蹴って、ゴールAに移ります。2はこれをキャッチし、4にスローイング。4はこれをキャッチし、2に投げ返します。2は4にドロップキックし、ゴールBに移ります。以下同様に続けます。

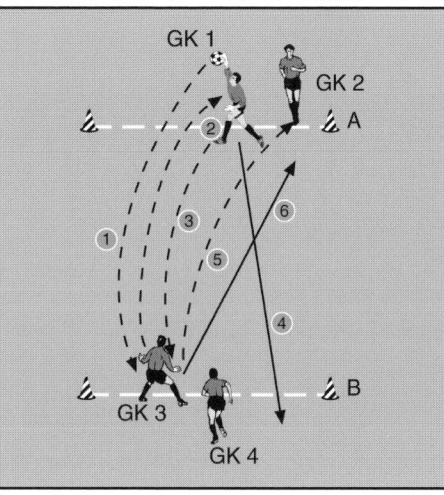

ポイント（ドロップキック）
- 足関節を固定し、つま先を下に向けます。
- 立ち足をプレー方向に向けます。
- 立ち足はボールの高さ（位置）につけます。

バリエーション
1. 前転をしてから反対のゴールに移ります。
2. 反対のゴールに移る際に、中央で後転をし、そこからバックランニング。

基本練習2B

基本練習2Aと同じ。ただし今度は、GK3とGK4がコーンゴールAから20mの距離とします。GK1がキックでGK3に浮き球を蹴ります。GK3はボールをバックパスとしてストップし、キックで浮き球を返します。GK1はこのボールをキャッチし、ドロップキックでGK3にパスし、ゴールBに移ります。GK3はこのボールを身体の前でキャッチし、ドロップキックでGK2にパスし、ゴールAに移ります。GK2はこのボールを身体の前でキャッチし、ドロップキックでGK4に出します。GK4はこれをキャッチして、ドロップキックでGK2に返します。GK2はこのボールをバックパスとして止め、キックでGK2に蹴り、ゴールBに移ります。GK4はこのボールを止めて、GK3にキックします。

以下同様に続けます。

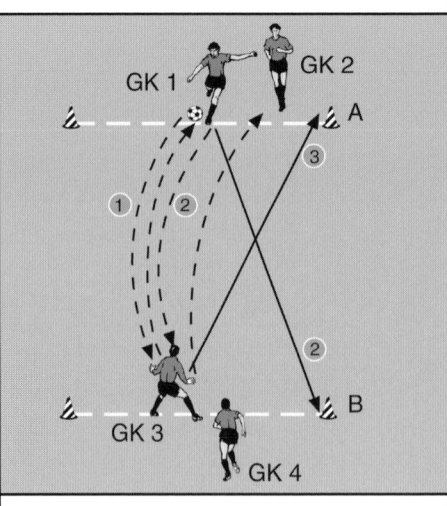

ポイント（ドロップキック）

- 基本練習2Aと同じ。

ゴールを使った練習フォーム

基本練習3A

3人のゴールキーパーで練習します。GK1は大ゴールに入ります。GK2はボールを持ってゴールライン上、ゴールのすぐ横に入ります。GK3はボールを持たずに、ゴール前15mの位置のコーンのところに入ります。GK2が静止したボールをキックでGK3へ。GK3はこれをキャッチし、ドロップキックでゴールをねらいます。

シュートが決まったら、あるいは数回行ったら、ポジションと役割を時計回りで交代します。

ポイント（キック）

- 立ち足はボールの横または後ろ。
- 助走は少し横から。
- ボールの中央をとらえます。
- 蹴り足は前方に振り抜きます。

バリエーション

1. GK3はキャッチせず、バックパスとしてボールを受けます。
2. GK2はパスにバリエーションをつけます。GK3はGK2からのパスを受け、テクニックを使ってシュートを決めようとします。
3. GK2はペナルティエリアの右隅。キックで浮き球をGK1に蹴ります。GK1はこれをキャッチし、GK3にスローイング。GK3はこれをバックパスとして受け、インステップでシュートをねらいます。

基本練習 3B

コーチはボールを持ち、ゴールエリアの角に入ります。ゴール前中央付近、ゴールライン上にボールを置きます。GK1はゴールに入ります。GK2とGK3は、約16m離れたコーンの位置。コーチがハイボールをGK1の頭上を越えてファーポスト方向に投げます。1はこれをキャッチし、3にスローイング。3がこれをキャッチします。1はゴールラインのボールをキックで2へ。2がこれをキャッチします。3はドロップキックでシュートをねらいます。次に、2がインステップキックでシュートをねらいます。

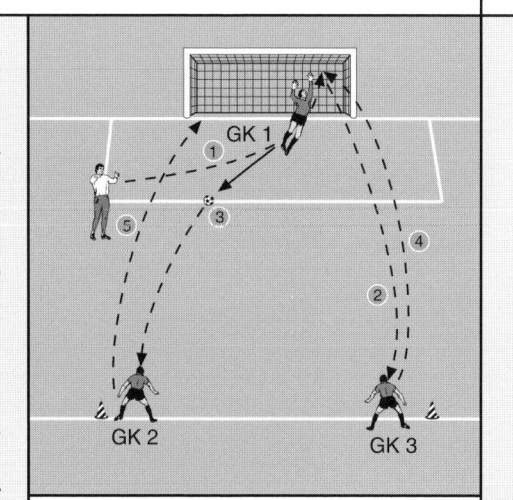

ポイント（キック）
- 基本練習3Aと同じ。

基本練習 3C

基本練習3Bと同じ。
コーチがファーポストにハイボールを投げ、GK1がそれをキャッチして投げ返し、ゴールラインからキックでGK2へ。コーチがボールをグラウンダーでGK3へ。GK3は、これを1タッチでシュートをねらいます。

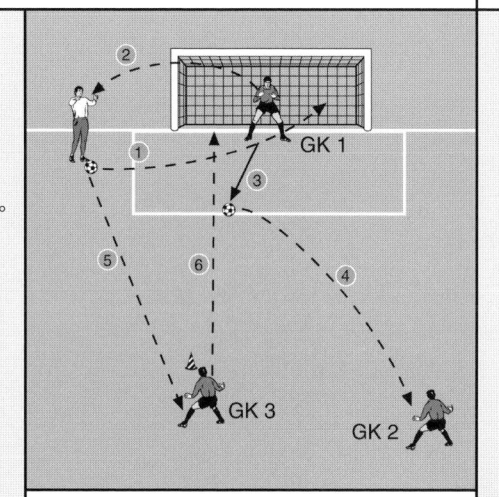

ポイント（ボレーキック）
- 少しステップをした後、両手から短くボールを離します。
- ボールをインステップでとらえます。蹴り足を前に振り抜きます。

図7

トレーニング・セッション例
〈第1部〉

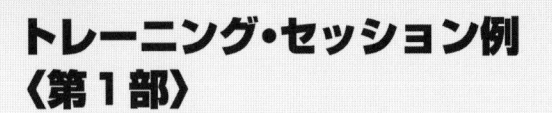

以下の練習で、ゴールキーパーが好むような変化に富んだトレーニング・セッションを組みます。

オーガナイズ

時　　間：50～60分
人　　数：ゴールキーパー3～4人
用　　具：ボール6個、コーンまたはマーカー、大ゴール1
重　　点：基本姿勢
　　　　　ライナーの正面でのキャッチ
　　　　　高いクロスのキャッチ
　　　　　グラウンダーへの倒れ込み、サイドのローリング
　　　　　ドロップキック
　　　　　全般的テクニック能力（バックパスへの対応）

トレーニング・セッション

ウォームアップ：本章「ボールを使ったコーディネーション・ランニングフォーム」の項を参照。
時　　　間：15～20分

テクニック練習

アドバイス：基本姿勢は単独で習得させるのではなく、各練習フォームで正しい基本姿勢をとるように注意します。

正面のライナーのキャッチ

練習1
2人のゴールキーパーが5m幅のコーンゴール（10m離して作る）に入ります。GK1がボールをアンダーハンドでグラウンダーでGK2の右足（左足）に出し、GK2はGK1に1タッチでライナーで返します。GK1はこれをキャッチし、再びGK2にアンダーハンドでグラウンダーで出します。GK2はこれを左足で返します。数回行ったら、役割を交代します。

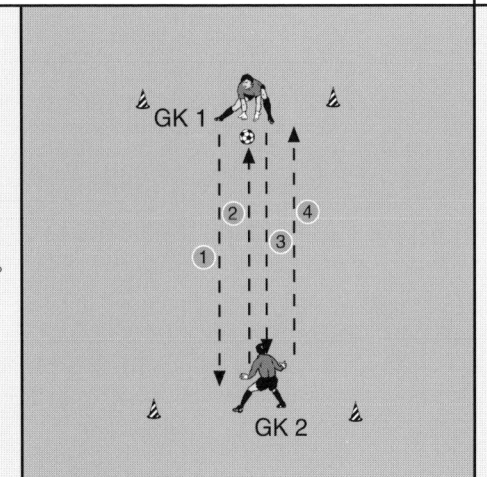

練習2
練習1と同じ。
GKは、ボールをドロップキックでパスします。両GKは、キックの後、右1回転あるいは左1回転を交互にします。

アドバイス
- この練習では、GKのテクニック全般を練習することができます（バックパスへの対応）。

高いクロスのキャッチ

コーンで2～3のコースをマークします。GKはその前に立ち、コーチはその5m横に入ります。GKは左（右）サイドからのハイボールをキャッチします。その後、以下のランニング課題を行います：フロントランニング（コーンコースの右）―バックランニング（コースを通って）―フロントランニング（コースの左側）。

アドバイス
- 踏み切り足が正しい足になるよう注意します。ボールが左から来たら左足踏み切り（右から来たら右足踏み切り）。

グラウンダーのボールにフォーリング、ローリング

練習1
ゴールキーパーは6m幅のコーンゴールに入ります。コーチはボールを持ってその5m前に入ります。コーチはボールをGKの右に投げます。GKは短いサイドステップからフォーリングをしてキャッチ。横になった状態から腕を伸ばしてボールをコーチに転がして返し、起き上がります。左のコーンにタッチして、短いサイドステップから右サイドへのグラウンダーにダイブします。

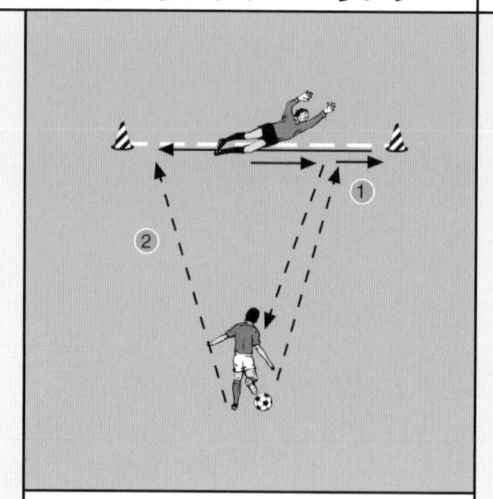

練習2
GKはコーンゴールの前5mの位置で腕立ての姿勢。コーチはボールを2個持って、そのすぐ前に立ちます。コーチは最初のボールをGKの下を通して左サイドに出します。GKは素速く立ち上がり、フォーリングしてグラウンダーのボールを右手で左サイドにディフレクティングしようとします。コーチは2個めのボールをゴールの左隅に出します。

アドバイス
- ダブルアクション。
- 2本めのボールへのダイブは、サイドステップから。

図8

トレーニング・セッション例〈第2部〉

ドロップキック
本章の「正面からのライナーのボールのキャッチの練習」を参照。

全般的テクニック能力
バックパスへの対応。
本章の「正面からのライナーのボールのキャッチの練習」を参照。
時間:15〜20分

U-12（10-12歳） 5章

2ゴールを使って、2人または4人のゴールキーパーで練習

練習1

15mの距離で、大ゴールと5m幅のゴールを置き、それぞれにゴールキーパーが入ります。さらに2人のGKが、ゴール裏で待機します。コーチは2つのゴールを結んだ想定ライン上に入ります。コーチはボールをGK1へはハイボールで、GK2へはドロップキックで蹴ります。ボールをキャッチしたら、GK1は正確なスローイングで5mゴールにシュートをねらいます。GK2はドロップキックでシュートをねらいます。数回行ったら、待機しているパートナーと交代します。

バリエーション

GK1はボールをキャッチしたら、ボールを横に出し、インステップキックでシュートを狙います。GK2はボールをキャッチしたら、1対1からシュートをねらいます。

（両練習とも15～20分間）

ねらい

- テクニックのコンビネーション：「正面のライナーのキャッチ」「スローイング」「ドロップキック」。

練習2

GK1は大ゴールに入ります。コーチはボールを持って、その4m前に入ります。ペナルティエリアライン上に、GK2がボールを持って入ります。コーチとGK1は、グラウンダーのパスを1タッチでかわします。その際、コーチはGKの右足と左足にパスします。コーチは、突然ボールをゴールキーパーの横に出します。GK1はダイブし、横になった状態でボールを転がして返し、立ち上がって、GK2からの2個めのボールにダイブします。GK2は、GK1がボールをコーチに転がしたら、すぐに反対のサイドに蹴ります。コーチはGK1の前に残り、視野をさえぎります。GK2がゴールを決めたら、役割を交代してゴールに入ります。

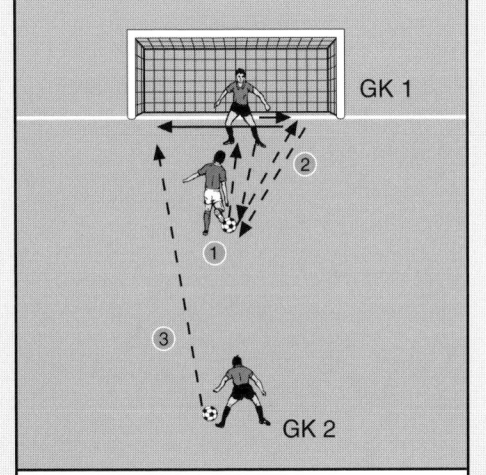

バリエーション

GK2は、ボールをドロップキックまたはスローイングでプレーします。

（両練習とも15～20分間）。

ねらい

- 以下のテクニックのコンビネーション：グラウンダーのボールへのダイブ、全般的テクニック能力（バックパス・ルールへの対応）、ドロップキック、スローイング。

123

CHAPTER 6 U-14（12-14歳）

U-14：さらに前進。U-14の発展トレーニング

U-14年代の特徴

　U-12とU-14はともに発展トレーニングの段階に相当しますが、U-14のゴールキーパーのための最適なトレーニングは、U-12年代のそれとは明らかに異なります。以下、U-14年代のトレーニングの重要な原則と特徴を挙げます。

- U-14年代は、成熟の第1段階（思春期）に相当します。この段階は、コンディション要素に最高のトレーナビリティを示します。
- ホルモン分泌が発達し、負荷能力とトレーナビリティに著しい変化が起こります。
- トレーニングにおいては、コンディション能力の改善、コーディネーションを安定化させ、できるだけ強化することを重点的に行います。トレーニング量と強度が高まります。U-12年代と比較して、セット練習の反復回数が増します。
- 筋が発達し、筋力負荷、スピード負荷、持久的負荷の際の無酸素性持久力が発達します。
- しかし、筋力トレーニング、持久力トレーニングの際に負荷が過度に高くなることは避けなくてはなりません。身体の長軸が成長することで、高すぎ、長すぎ、あるいはあまりに頻繁な筋力負荷がかかると骨格に対する危険が高まります。
- 特に脊柱に関して、適切な筋力トレーニングで姿勢が悪くならないように注意すべきです。筋力トレーニングは加減し、コントロールしながら行います。
- ダイナミックで高い筋力を使うようなテクニックを導入します。例えば、ライナーやハイボールに対してのダイビングやジャンプです。しかしその際、「第二次成長スパート」により、身長が1年間に10cmも伸びることで、運動が不安定になり、コーディネーション能力の低下が起こります。そのことにより、新しいテクニックを習得する能力は、一時的に低下します。ただし、すでに覚えたテクニックは、継続的にトレーニングすることによって、さらに向上することができます。
- 習得した基礎テクニックを、反復練習によって、さらに自動化します。
- さまざまなテクニックを組み合わせて習得します。
- 抽象化の能力と知的な頭の中での組み合わせ能力が高まります（「意識的なプレー経験の発達」）。
- チーム・トレーニングの中に、戦術の習得を積極的に取り入れます。チームの特定の部分を取り出して習得します（例：クロスからの2対2、ゴール前の3対2GKあり等）。
- それまでに覚えたプレー状況（予測）等、ゴールキーパーに試合で要求されることを、チームメイトとの練習の中でシミュレーションします。
- 社会的なつきあい（友だちづきあい）や新たな趣味への欲求が高まります。コーチはパーソナリティの成長を認め、評価するべきです。

図9a

年齢に即したウォームアップ

アドバイス：U-12年代のゴールキーパーのためのゲーム形式と練習形式は、U-14年代のウォームアップ・プログラムとして使うことができます。しかし、負荷強度と難易度を合わせる必要があり、まず積極的にウォームアップを行ってからのメニューとすべきです。

内容

- 量と強度を高めます。
- 難易度を高めます。
- 適切なねらいをもったストレッチングと筋力強化の運動を取り入れます。
- サッカーの専門的なテクニックを向上させるための練習フォームを取り入れます（ボールを受ける、左右の足でパス等）。
- バックパスへの対応のための練習を組み込みます。

目標

- 全身のウォームアップ。
- これから受ける負荷に対し、身体を調整します。
- コーディネーション能力を習得します。
- ゴールキーパーがトレーニング前や試合前に自分でやれるような標準的なウォームアップ・プログラムを作成します。

P.126の例も参照してください。

図9b

U-14年代のゴールキーパーのウォームアップ

U-14（12～14歳）：

1. ゆっくりとしたジョギング。
2. ゆっくりと、腕を使ってホッピング。
3. 腕を前後に回しながらホッピング。
4. 腕を使ってサイドステップ。
5. 身体の向きを変えながら、横方向にサイドステップ。
6. 前後にサイドステップ。
7. 前方向にサイドステップ。合図でサイドステップから前転。
8. 後ろ方向にサイドステップ、合図でサイドステップから後転。
9. ツイストステップ。コースの半分で身体の向きを変える。
10. ゆっくりとしたランニングから、合図で1回転ターン（左右両方とも）。
11. ゆっくりと腕を前後に回しながらランニング（片腕、両腕、反対方向）。
12. ゆっくりとしたランニング。3歩ごとに、かかと蹴り上げまたはもも上げ。
13. ゆっくりとしたランニング。かかと蹴り上げともも上げのコンビネーション（例：右もも上げ、左もも上げ、右かかと蹴り上げ、左かかと蹴り上げ）。
14. 両腕を上に伸ばし、つま先で素速く細かいステップ（4～5歩細かいステップのあと、ゆっくりとしたまっすぐのランニング）。つま先の力で進む。
15. 腕を身体の前に伸ばす。指先を下に向ける。両脚を伸ばして素速く細かいステップで前へ。つま先の力で進む。
16. もも上げランニング。膝は軽く外に開く。両手は身体の前で下に向ける。両足ないしはかかとで手に触れる。
17. 両手を横に伸ばし、両膝を軽く内側に捻り、手に足を持ってくる。
18. 軽いジョギングから、合図で前転（肩から入る）。
19. 軽いジョギングから、合図でハーフターンをし、後転。再びハーフターンをして、そのままランニング。
20. 複数のゴールキーパーが列になって走る。いちばん後ろのゴールキーパーが、他のゴールキーパーの列をスラローム走をして先頭に出る。

U-14（12-14歳） 6章

■ウォームアップ

ボールを使ったコーディネーション・ランニング

練習1
各ゴールキーパーが自分でボールを持って練習。全般的なサッカーのテクニックの習得とボール感覚の向上、アジリティ（敏しょう性）の向上をねらいとします。
1．ボールを左右の足のアウトサイドで交互にプレーします（足の裏を横に動かします）。

バリエーション
1．ボールを少しドリブルし、続いて両足の間で素速くタッチし、再びドリブルします。
2．ボールをドリブルから少し前に出し、1回転ターンをして、再びドリブルします。
3．ランニングから前転をして、再びドリブルします。

ねらい
- 全身のウォームアップ。
- コーディネーション能力の習得。
- ボール感覚とアジリティ（敏しょう性）の向上。
- 全般的テクニック能力の習得。

練習2
練習1と同じ。
アジリティ（敏しょう性）の向上、ボール感覚の向上、全身のコーディネーション向上に役立ちます。
1．ランニングしながら、ボールを左右の手で交互に身体の前でつきます。

バリエーション
1．ボールをホッピングしながら、左右の手で交互につきます。
2．ボールをランニングしながら手でつきます。途中1回、力強く弾ませ、素速く身体を1回転させて、再びボールをつきます。
3．GKはランニングから前転をし、再びボールをつきます。

ねらい
- 練習1と同じ。

2人組でコーディネーション・ランニングフォーム

練習1

2人のゴールキーパーが一緒に練習します。2人ともボールを持ちます。

横に並んで走り、同時にボールを弾ませ、素速く互いの位置を入れ替えて、パートナーのボールを取ります。衝突を避けるために、あらかじめお互いのコースを決めておきます。

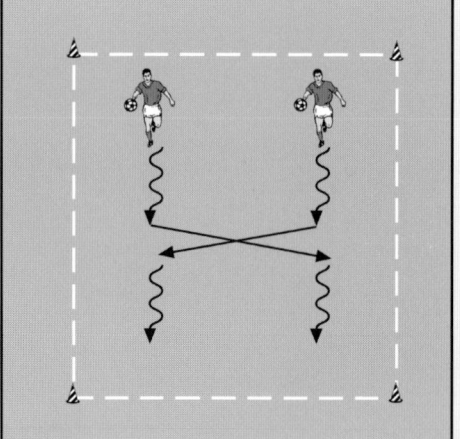

ねらい
- モチベーションを高めるウォームアップ。
- コーディネーション能力の習得。
- ボール感覚とアジリティ（敏しょう性）の向上。
- 全般的テクニック、ゴールキーパーの専門的テクニックの習得。

バリエーション

パートナーのボールに移る前に、コーディネーション課題（1回転、前転、後転等）。

練習2

練習1と同じ。

ゴールキーパーは縦に1列になって走ります。GK1はバックランニング。合図でGK1は自分のボールを強く弾ませます。GK2は、自分のボールをGK1の頭越しに投げます。2人は、相手のボールに向かってスタートし、できるだけ早く確保しようとします。GK1は、ターンしてからボールに向かいます。

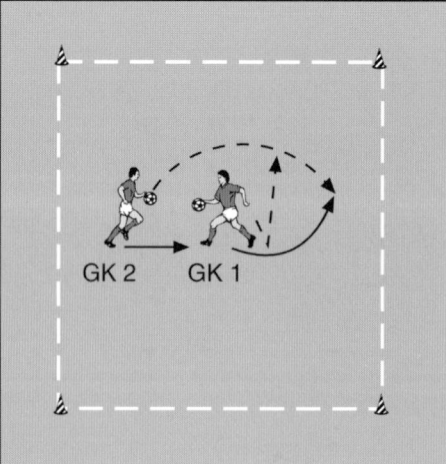

ねらい
- 練習1と同じ。

バリエーション

1. 2人のGKの間の距離を広げます。前のGKは、自分のボールを両脚の間から後ろに投げます。2人めはパートナーの頭越しに投げます。2人はボールをできるだけ早く確保しようとします。

2. 前のGKはボールを頭越しに投げ、後ろのGKはすぐにそれに反応し、自分のボールをパートナーの頭越しに投げます。2人はできるだけ早くそれを確保しようとします。

練 習 3

練習 2 と同じ。
 ゴールキーパーは横に並んで走り、相手にボールを同時に投げます（1 人は高く、もう 1 人はライナーで）。

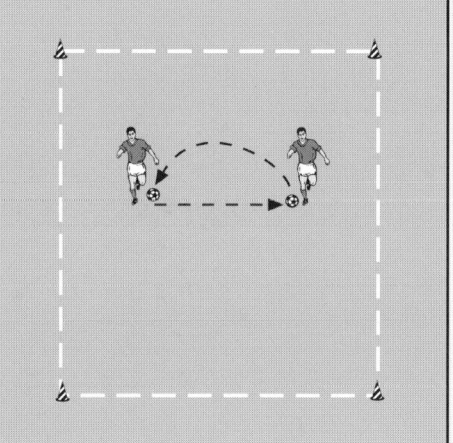

バリエーション

1. 投げる代わりに、弾ませます。
2. 2 人は向かい合ってサイドステップで動きます。合図で同時にボールを片手で投げ合います。

ねらい
- 練習 1 と同じ。

練 習 4

練習 3 と同じ。
 2 人は縦に並んで走ります。前の GK が合図で静止し、両脚を軽く開いて馬跳びの馬の姿勢になります。後ろの GK は自分のボールを前の GK の脚の間を通して転がし、馬跳びで越えて、ボールに倒れ込んで押さえます。役割を交代します（ダイブを左右交互にします）。

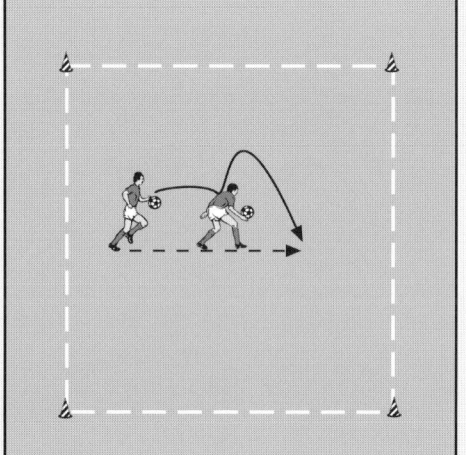

バリエーション
 馬跳びの後、ボールにダイブします。

ねらい
- 練習 1 と同じ。

コーチが加わり、ボールを持ったコーディネーション・ランニングフォーム

練習1

2人のゴールキーパーがコーチと練習します。ボールを1個使います。

GKは2m間隔で横に並んで走ります。その3m横をコーチがボールを持って走ります。コーチはボールを高く投げ、外側のGKがそれをキャッチします。もう1人のGKがサイドステップでそのポジションに入ります。キャッチしたGKはコーチにボールを返して、ポジションを交代します。

ボールが右から来たら、右足でジャンプします。左から来たら、左足でジャンプします。

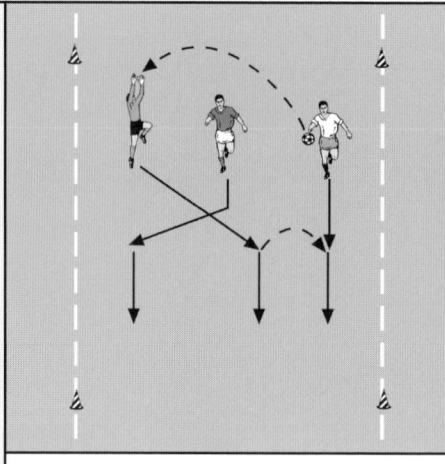

ねらい
- 全身のウォームアップ。
- モチベーションを高めるウォームアップ。
- コーディネーション能力の習得。
- ゴールキーパーの専門的テクニックの習得。

バリエーション
1. 外側のGKは、コーチの合図で1回転をしてからボールをキャッチします。
2. 外側のGKは、内側のGKとコーチの間を通り抜けてキャッチします。
3. ボールをキャッチしたら、コーチとサイドを交代し、毎回反対の側からのボールをキャッチするようにします。

練習2

練習1と同じ。
コーチは2人のゴールキーパーの間を走ります。コーチはボールを左に高く投げ、GK1がコーチの前を通って走り、そのボールをキャッチします。GK2は同時にコーチの後ろを通って、反対側に行きます。右足で踏み切るように注意します。一定距離を走ったら、コーチは今度はボールを右に投げ、先ほどの逆を行います。

ねらい
- 練習1と同じ。

バリエーション
1. 追加のコーディネーション課題を実施します。
2. GKはサイドを変えません。毎回キャッチをするほうのGKが、前向きのランニングからサイドステップでコーチに向かい、コーチにタッチしてサイドステップで戻り、そのサイドのハイボールをキャッチします。一定距離を行ったら、GKはサイドを交代します。
3. 前向きのランニングから、2人のGKはコーチの合図で前転をします。その後、この練習の動きに入ります。

練習3

練習2と同じ。
ゴールキーパーは縦に並んで走ります。コーチがボールを持ち、その横に入ります。コーチの合図で後ろのGKが前のGKを追い越し、コーチが投げたボールをキャッチします。

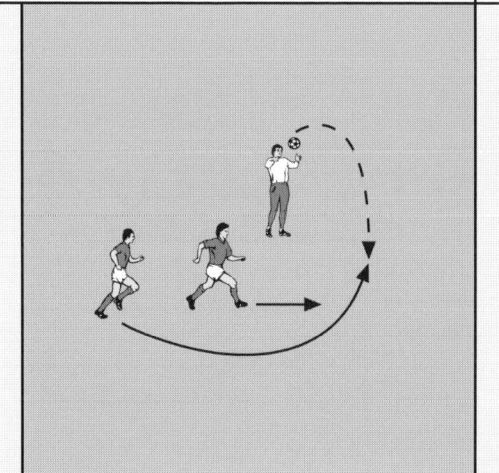

ねらい
- 練習1と同じ。

バリエーション
1. 後ろのGKは、1回転してからパートナーを追い越します。
2. コーチの合図で後ろのGKはストップし、前のGKが素速くターンして後ろのGKに当たり、再びターンしてハイボールをキャッチします。一定距離を行ったら、役割を交代します
3. 前のGKが前転をしてからキャッチ。

練習4

練習3と同じ。
2人のゴールキーパーは縦に並んで走ります。コーチの合図で前のGKはストップし、両脚を開きます。後ろのGKは、はって前のゴールキーパーの脚の間をくぐり抜け、うずくまります。コーチは立っているGKにライナーを投げます。このGKがうずくまっているパートナーを跳び越してキャッチします。一定距離を行ったら、役割を交代します。

ねらい
- 練習1と同じ。

バリエーション
コーチの合図で、後ろのGKがストップし、両脚を開きます。前のGKは、素速く走って後ろのGKを回り、両脚の間を抜けて、グラウンダー（またはハイボール）をキャッチします。

ゲーム形式、練習形式

練習1

　ゴールキーパー（1～3）が一緒に練習します。必要があれば、コーチがGK3の役割を果たします。GK1が2m幅の2個のコーンの間に入ります。そこから各5mの距離の左右にもう1個ずつコーンを置きます。そこにGK2とGK3が入り、ボールを1個ずつ持ちます。2が1にドロップキックを蹴ります。1はそのボールをキャッチし、2に投げ返します。1はサイドステップで動いて、反対のコーンのところに行き、3からのドロップキックをキャッチし、3に投げ返します。再びサイドステップで元のコーンに戻ります。以下同様に続けます。

ねらい
- 全身のウォームアップ。
- モチベーションを高めるウォームアップ。
- コーディネーション能力の習得。
- 全般およびゴールキーパーの専門的なテクニックの習得。

バリエーション
1. GK1は、次のコーンに移動する間に1回転します。
2. GK1はターンの間、両手を後ろに組みます（バランスの習得）。
3. GK2と3はボールをグラウンダーで出します。GK1はそのボールを横になった体勢で転がして返します。
4. GK1はグラウンダーのボールを、1タッチで右（左）の足で返します。
5. GK1はボールを返す前に、1回転します。

練習2

　ゴールキーパー（1～4）が一緒に練習します。必要があれば、コーチがGK4の役割を果たします。3個のコーン（A、B、C）を7m間隔で縦に並べます。コーンBの7m横にコーンDを置きます。それぞれにGKが1人ずつ入ります。
　GK1、4、3は、順番にGK2にドロップキックを蹴ります。順番は1-2、4-2、3-2、4-2、1-2、以下同様です。GK2はキャッチして投げ返します。投げたら両手を素速く背後で合わせ、また前に戻します。10回やったら、交代します。

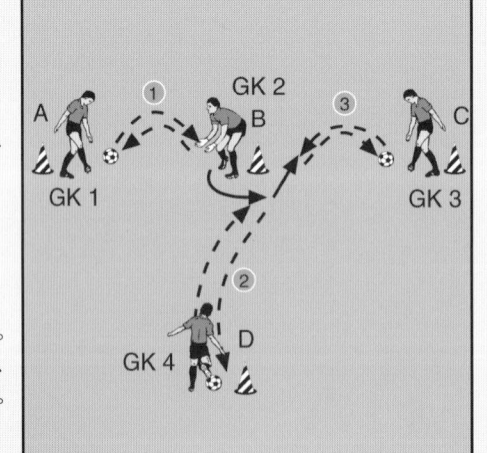

ねらい
- 練習1と同じ。

バリエーション
1. GK2もドロップキックで返します。
2. GK2は、1回転してから次のボールをキャッチします。
　コーチはボールを投げます。中央のコーンゴールを通ったボールはヘディングで返します。左右のコーンゴールを通ったボールはボレーで返します。

練習3

練習2と同じ。コーンDのゴールキーパーが複数のボールを持ち、パサーとなります。

GK4がハイボールをコーンBに投げます。GK3は走って行って、これをキャッチします。踏み切り足は左足です。同時にGK2はコーンCに移ります。GK3はキャッチし、GK4に投げ返します。GK4はコーンBにハイボールを投げます。そこにGK1が走って来てキャッチします。踏み切り足は右足です。同時に、GK3がコーンAに移ります。

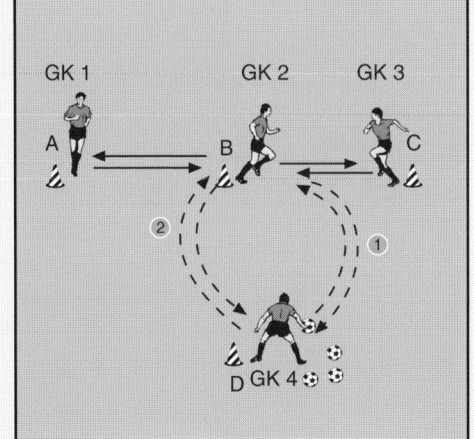

ねらい
- 練習1と同じ。

バリエーション
1. 前転をしてから、キャッチあるいは次のコーンに移ります。
2. ボールをキャッチせず、両手でフィスティングします。
3. さまざまなコーディネーション課題を行います（例：ゴールへの動き＝回転；コーンへの動き＝前転）。

練習4

練習3と同じ。

GK4がコーンBにグラウンダーを蹴ります。GK3が走って来て、これを右足で1タッチで返します。GK3はパスの後、コーンAに移ります。GK1はコーンBに移り、GK4からのボールを左足で返し、コーンCに移ります。以下同様に続けます。

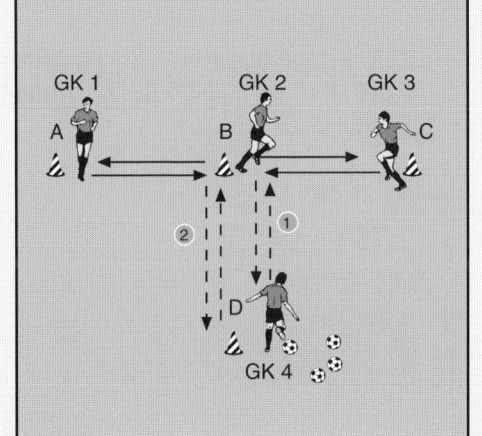

ねらい
- 練習1と同じ。

バリエーション
1. パスを返す前に、GKはコーディネーション課題を行います。
2. GK3は右足でボールを受け、ドリブルでコーンBを回り、左足でGK4に返し、コーンAに移ります。

テクニック能力の習得

　ゴールキーパーの専門的テクニックを習得させるための、ユースのための練習フォームを紹介します。各テクニックごとに3つの基礎練習があり、それぞれバリエーションをつけたり、組み合わせたりすることができます。強度と重点は、選手の発達段階に応じて調整します。

基本練習1：コーディネーションと結びつけたテクニック練習
基本練習2：複数のゴールキーパーでのテクニック練習
基本練習3；ゴールを使った練習フォーム

　以下に何点か推奨事項を示します。

コーディネーション

　コーディネーション能力の習得は、U-14でもまだ独立させて行わず、ウォームアップ・プログラムやテクニック練習を組み合わせて行うようにします。

戦　術

　戦術的要素である「ポジショニング」「セットプレーの対応」「攻撃の際のプレーの組み立て」「突破してきたFWあるいはハイボールに対する1対1」「ボールの競り合い」等は、基本練習3に入ってきます。ただし、これらはチーム・トレーニングの中で重点的に取り組むべきものです。「簡潔な合図による守備の組織化」は、トレーニングゲームないしはグループ戦術、チーム戦術のゲーム形式の中で習得されるものです。コーチはその際、ゴールキーパーの行動をよく観察し、味方への適切なコーチングを行うための有用なアドバイスを与えます。その際、味方選手を含めて話し合いを行うようにします（言葉、合図の取り決め）。

コンディション面

　U-14のゴールキーパーの場合は、以下のコンディション要素を重点的にトレーニングします。
1．スピード・トレーニング（コーディネーション・トレーニングの中で）
2．サッカー専門的あるいは全般的なストレッチング（柔軟性トレーニング）
3．全身筋力強化
4．持久力トレーニング（軽いランニング、あるいはトレーニング最後のゲームにフィールドプレーヤーとして参加）

パーソナリティの発達

　その他に、モチベーションについても考えなくてはなりません。トレーニングやゲームに向けての取り組みが向上します。パーソナリティの発達は、適切な話し合いによってサポートすることができます。

オーガナイズ

　ゴールを用いる練習（基本練習3）ではすべて、位置感覚の改善とポジショニングの習得のために、ゴールの真ん中にもう1個コーンを置いて行います。ゴールキーパーは、ゴールの中央（コーン）とボールとの間の想定ライン上を動きます。

U-14（12-14歳） 6章

©STUDIO AUPA

ハイボール：正面のハイボールとクロスのハイボールのキャッチ

ここでは、「基本姿勢」と「正面およびサイドからのグラウンダーおよびライナーのボールのキャッチ」の習得のための独立した練習フォームについては掲載していません。それらについては、前の章の該当部分を参照してください。

以下の「正面およびサイドからのハイボールのキャッチ」については、さらにU-12の章の該当部分も参照可能です。

テクニックおよびコーディネーション

基本練習1A

ゴールキーパーはコーンのところに立ちます。その5m前にハードル（または類似のトレーニング用具）を置き、その後ろにさらにコーンを置きます。コーチはボールを持ち、ハードルの横5mの位置に入ります。コーチがハイボールを投げ、GKはそれをキャッチして、ハードルを跳び越え、コーンにタッチして、ゴールにボールをアンダーハンドでグラウンダーで入れます。コーチはタイミングよくボールを出し、GKが右からと左からとの交互にボールをキャッチするようにします。

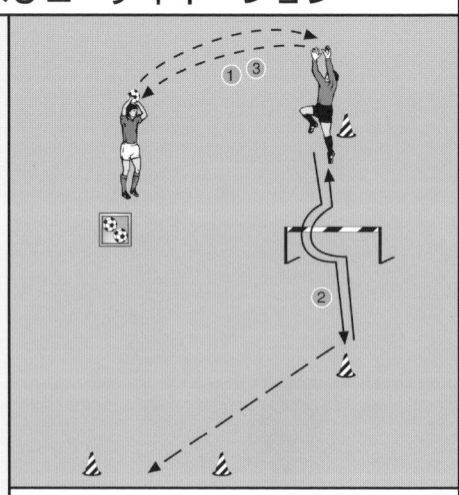

ポイント
- 反応時間を短く。
- ボールに近いほうの足で片足ジャンプ。その際、踏み切り足の足首、膝関節、股関節を伸ばします。
- 両サイドからのボールをキャッチします。

バリエーション
1. GKはハードルをくぐります。
2. 後ろのコーンを、GKがハードルを越えた後に前転ができるくらいの位置に置きます。後ろのコーンにタッチした後、ハードルの方向に前転してハードルをくぐり、次のボールをキャッチします。

基本練習 1B

　ゴールキーパーは5m幅のコーンゴールの中に立ちます。その前に、1m間隔で4個のコーンを1列に置きます。コーチはボールを持ち、コーンの列の5m横に立ちます。GKはスピードを出してスラロームを抜け、帰りはバックランニングで元の位置に戻ります。コーチが投げるハイボールを（再び前に向かう動きから）キャッチします。

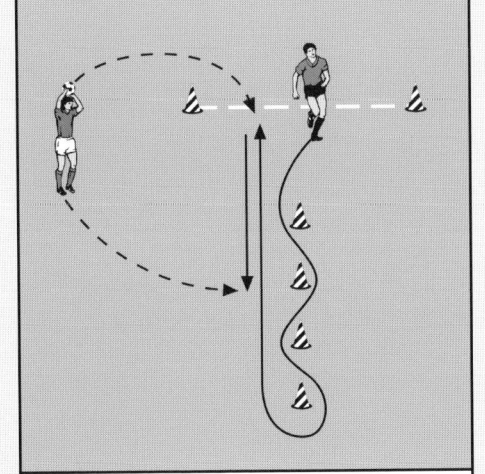

バリエーション

　戻りはサイドステップで、コーンのスラロームを抜けます。

ポイント

- 練習1Aと同じ。

複数のゴールキーパーでテクニック練習

基本練習 2A

　10m×10mのフィールドで、3～4人のゴールキーパー（全員ボールを1個ずつ持つ）とコーチが動きます。GKはランニングしながらボールをつきます。コーチが名前をコールします。呼ばれたGKは、コーチにボールを投げ、前転をして、コーチが投げるハイボールをキャッチします。

バリエーション

1. キャッチの前に後転をします。
2. 1人のGKがコーチにボールを渡し、他のGKの中で動きます。コーチが名前をコールします。呼ばれたGKは、ボールを持っていないGKに自分のボールを投げ、2人は併走してショルダーチャージをします。次に、ボールを持っていないほうのGKが、コーチが投げたハイボールをキャッチします。

　コーチにボールを投げ返し、再び同様に開始します。

ポイント

- 反応時間を短く。
- ボールをジャンプして最高点でキャッチします。
- 片足ジャンプの際に、反対の膝を引き上げます。

基本練習 2B

3つのコーンを1辺5mで三角形に置きます。各コーンのところにゴールキーパーが1人ずつ入ります（1がコーンA、2がコーンB、3がコーンC）。GK2がボールを持ち、GK1にハイボールを投げます。GK1は自分のコーンを1回回ってから、ハイボールをキャッチします。次に、ボールをGK3に投げます。GK3は自分のコーンを1回回ってから、ハイボールをキャッチします。以下同様に続けます。

ポイント
- 練習2Aと同じ。

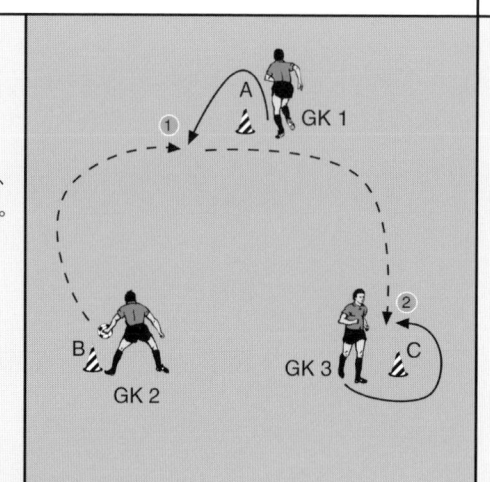

バリエーション
1. GK2がボールをGK1に投げたら、前転をして、自分のコーンに戻ります。
2. GK2は、自分のボールをGK1に高く蹴ります。
3. コーチの合図で投げる方向を変えます。

ゴールを使った練習形式

基本練習 3A

GK1は大ゴールの中に立ちます。GK2とGK3はボールを持って、16m離れた左右に入ります。コーチはボールを持ってGK1の5m横に入ります。コーチの合図で、GK1はポストへ向けてスタートし、ポストにタッチして、サイドステップで再びゴール中央に戻ります。コーチはゴール前にハイボールを投げ、GK1はそれをキャッチして、コーチにアンダーハンドスローでグラウンダーで返します。コーチが「2」または「3」をコールし、呼ばれたGKがドロップキックでシュートをねらいます。

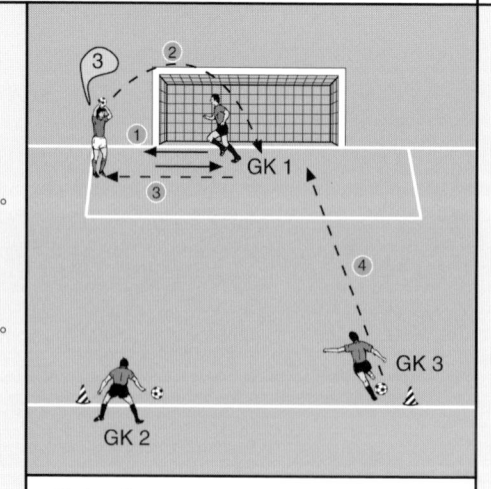

ポイント
- 地面を力強く蹴ります。反対の膝と腕を強く振ります。
- ボールを両手または片手で身体の前に落とします（ドロップキック）。

バリエーション
1. ニアポストにタッチしたら、GK1は後転をします。以下同様。
2. GK1は、コールされたGKの方向に前転をしてから、シュートに対応します。
3. GK1はキャッチしたボールを、GK2にアンダーハンドのグラウンダーで出します。GK3はドロップキックでゴールにシュートします。

U-14（12-14歳） 6章

基本練習 3B

GK1は大ゴールに入ります。GK2はゴールエリアのラインに入ります。GK3はゴール前中央約18mにコーンを置き、そこに入ります。コーチはボールを持って、ペナルティエリアの外の右または左に入ります。コーチはゴールエリアのライン辺りにハイボールを出します。GK1はGK2の妨害に対し、そのボールをキャッチします。GK1はそのボールをアンダーハンドでグラウンダーでGK3に出し、GK3はそのボールでドリブルしてGK1をかわそうとします。

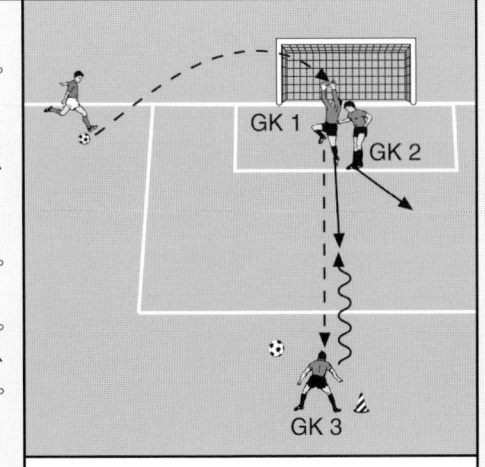

ポイント
- 低い姿勢をとります（腰を落とすが、深く沈みすぎないように）。
- リラックスして立ち、膝と股関節を深く曲げ、重心を前に置きます。

バリエーション

GK3が1対1でゴールをねらう間、GK2はペナルティエリアの角に動きます。1対1が終わったら、コーチは2個めのボールでゴール前にハイボールを出します。GK2はそのボールをヘディングまたはボレーでシュートしようとします。GK1は、できれば先にそのボールをキャッチし、それが無理ならシュートを防ぎます。数回行ったら、ポジションと役割を交代します。

基本練習 3C

GK1が大ゴールに入ります。GK2はボールを持って、右斜め前5mの位置に入ります。コーチはボールを持って、GK1から見て左のゴールポストから5mの位置に入ります。GK2はボールを自分の約3m前に高く投げます。GK1はそれをキャッチして、転がして返します。次に、コーチがグラウンダーをゴール左隅に出し、GK1はそれに向かってスタートし、ダイブしてそれを止めます。

数回行ったら、ポジションと役割を交代します（両サイドともトレーニングします）。

ポイント
- ボールへの最後の1歩を大きく。
- ボールに近いほうの足で踏み切って片足ジャンプ。ボールが右から来たら右足踏み切り。左から来たら左足踏み切り。

バリエーション

1. GK1は後転をしてから、GK2が出すボールをキャッチします。
2. GK1は前転をしてから、コーチが出すグラウンダーにダイブします。
3. コーチはゴールの隅ではなくボールを空中に高く投げます。2個めのボールを、GK2がゴールの右隅にグラウンダーで出します。
4. GK1は、ボールのキャッチあるいはダイブの前に1回転します。

グラウンダーのボールに対し、フォーリングおよびサイドのローリング

テクニックとコーディネーション

基本練習1A

コーンを置き、ゴールキーパーはそこに入ります。その1m前にハードル（または類似の用具）を置きます。ハードルの外側の脚の延長上にコーンを4個1列に並べます。コーチはボールを持って、コーンの列の7m横に入ります。コーチの合図でGKはハードルを両足で跳び越え、コーンの前にサイドステップで来て、コーチからのボールをコーンの前で押さえます。

ポイント

- 股関節、体側、肩の順にローリングします。
- 「ボールを前で押さえます」：左からのグラウンダーに対しては左足で小さくステップして、ボールをできるだけ早く押さえます。

バリエーション

1. GKははってハードルをくぐります。
2. GKはハードルの左横に立ち、ダブルジャンプを行います。
3. GKはその場で細かいジャンプを続けます。コーチの合図で素速くジャンプしてハードルを跳び越えてボールに向かいます。

基本練習 1B

コーンを置き、ゴールキーパーはそこに入ります。その3m前に5m幅のコーンゴールを3個（A、B、C）、縦横の位置をずらして作ります。コーチはボールを持って、コーンゴールの正面5mの位置に入ります。コーチがコール（「A」「B」「C」）し、GKは全速力でそのゴールに向かい、コーチがグラウンダーでサイド（ゴールAとB）に出したボールにダイブします。ゴールCではボールを正面で受けます。

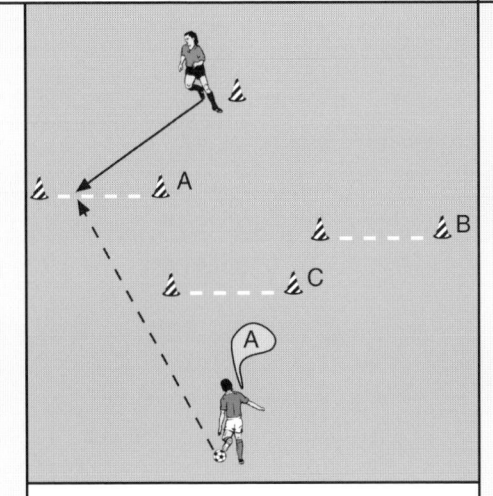

ポイント
- 練習1Aと同じ。

バリエーション
1. コーチは、コールではなく手で合図を出します。
2. GKは前転をしてから、ボールに向けてスタートします。
3. さまざまな体勢からスタートします。

基本練習 1C

ゴールキーパーは6m幅のコーンゴールに入ります。その前に3m間隔で2個のコーンを置きます。そのさらに3m前にコーチがボールを持って入ります。GKはサイドステップで左右に動いて2個のコーンを越え、コーチのほうへ向かいます。コーチはGKにグラウンダーを出し、GKはこれを右足のインサイドで返します。今度は、後ろ向きにコーンの列の横をゴールまで戻ります。ゴールに近いほうのコーンを通過したら、コーチはグラウンダーをゴールの右隅に返します。GKはそれにダイブします。

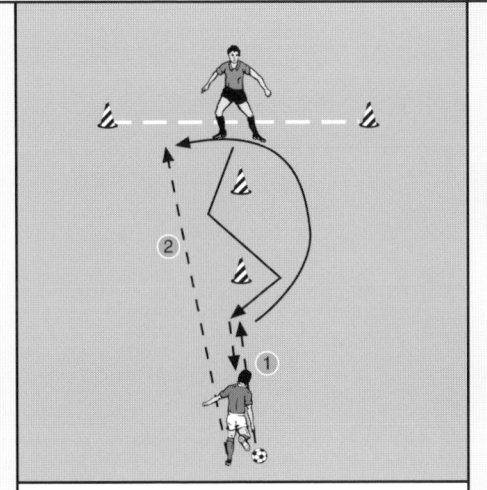

ポイント
- 練習1Aと同じ。

バリエーション
1. GKはサイドステップの最後に前転をして、コーチが出したグラウンダーを右足で返します。
2. パスを返した後、コーンゴールの方向に後転をします。

複数のゴールキーパーでのテクニック練習

基本練習 2A

GK1は6m幅のコーンゴールの中に入り、コーチに背を向けて立ちます。コーチはその3m後ろに入ります。GK2はボールを持って、コーチの3m右に入ります。コーチがGK1の左肩を目がけてボールを投げます。GK1は素速く向きを変え、ボールをキャッチしてから地面に倒れるようにします。ボールをコーチに返し、次に、GK2がゴールの左隅に出すグラウンダーのボールにダイブします。

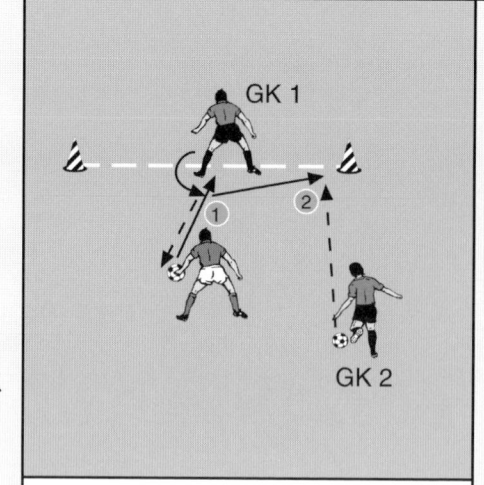

ポイント
- ボールを注視します。
- 「脚を前に出します」―GKが左サイドにダイブする際には、右脚の膝を前に出し、背中側に倒れてしまうのを防ぎます。

基本練習 2B

GK1は、6m幅のコーンゴールの中央で腕立ての体勢になります。GK2は、ボールを持ってその後ろに入ります。コーチはボールなしでGK1の5m前に入ります。GK3は、ボールを持ってコーチの左横3mの位置に入ります。

コーチの合図で、GK2はボールをGK1の下を通してパスします。GK1は素速く起き上がり、左肩のほうへターンして、コーチからのゴール左サイドへのグラウンダーにダイブします。そのまま1回転してボールを横になったまま転がして返し、GK3からの反対サイドへの2本めのグラウンダーにダイブします。

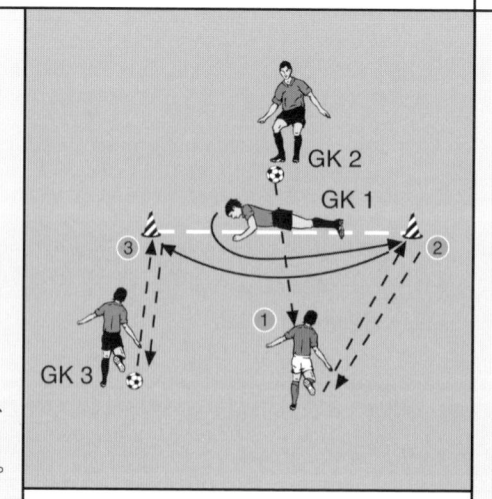

ポイント
- 練習2Aと同じ。

バリエーション

GK1は腹ばいになり、GK2はボールを持たず、コーチがボールを持ちます。コーチの合図でGK2はGK1を跳び越します。コーチはGK2の左サイドにグラウンダーを出します。GK2はボールにダイブします。GK1は跳び越されたあと素速く起き上がり、GK3からの右サイドへのグラウンダーにダイブします。GK1とGK2のポジションを変え、最初から行います。

2回行ったら、GK3と1のポジションと役割を交代します。

ゴールを使った練習

基本練習 3A

　GK1は大ゴールの右ポストに入ります。コーチはボールを持ってその前に入ります。GK2はボールを持って、ゴールエリアの左コーナー辺りに入ります。コーチは1本めのボールをゴール前にグラウンダーで出します。GK1はそれに対し左サイドへダイブし、横になったままボールを転がして返します。素速く立ち上がり、この瞬間、GK2がグラウンダーを出します。GK1はこのボールを左のインサイドで返します。GK1は続いて右にターンして、コーチのほうへ向かいます。コーチは2本めのボールをグラウンダーでゴールの右隅に出します。GK1はこれにダイブします。

ポイント
- ボールに両手を出します。
- 片手はボールの後ろ、もう片方の手はボールの後ろまたは上に置きます。
- 全般的サッカーのテクニック能力（パス）。

バリエーション

1. GK2は、ボールをライナーでGK1に投げます。GK1は、これをボレーでGK2に返します。
2. GK2はボールをGK1のサイドに出し、GK1はこれをキャッチして、GK2に投げ返します。
3. コーチは1本めのボールをゴール前に高く出します。GK1はこれをキャッチしてコーチに投げ返します。GK2はグラウンダーをGK1の左サイドに出します。コーチは2本めのボールを右サイドに出します。

基本練習 3B

　大ゴール前中央、ゴールエリアのライン上に、4m幅のコーンゴールを作ります。ゴールキーパーは右のコーンのところに立ち、コーチはボールを持ってコーンゴール前中央5mの位置に入ります。コーチはボールをグラウンダーでGKの左サイドに出し、GKはそれにダイブします。横になったままコーチにボールを投げ返し、素速く起き上がって、左のコーンを回って大ゴールに入ります。コーチは2本めのボールを、大ゴールの右コーナーに高く出します。

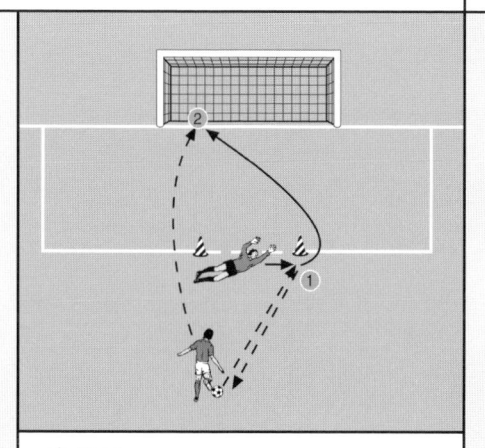

ポイント
- ボールに両手を出します。
- 片手はボールの後ろ、もう片方の手はボールの後ろまたは上に置きます。
- ボールを身体に確保します。片手はボールの後ろ、もう片方の手はボールの後ろまたは上に置きます。
- ボールを身体に確保します。

バリエーション

1. GKは、腕立て、腹ばい、あおむけなどの体勢から1本めのボールにスタートします。
2. 左のコーンを回った後、GKは前転をしてから大ゴールに向かいます。

ライナーおよびハイボールに対する ダイビング、ジャンプとローリング

テクニックおよびコーディネーション

基本練習1A

ゴールキーパーは、6m幅のコーンゴールの中央で腕立ての姿勢をとります。その左に複数のコーンを1列に並べます。コーチはボールを持って3m前に立ちます。コーチの合図でGKは右肩のほうへ転がり、素速く立ち上がって、コーンの列を越えてコーチが投げたボールへジャンプします。

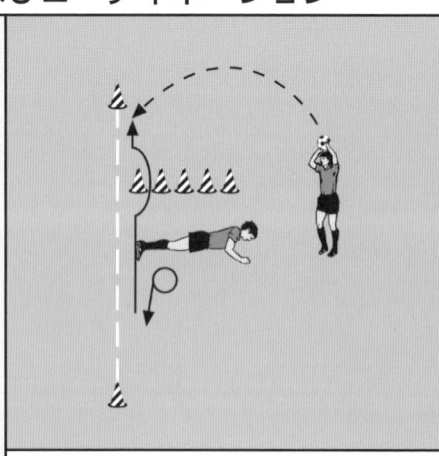

ポイント

- サイドへは1歩または複数のステップを踏みます(「ステップ-ステップ-ジャンプ」)。最後の1歩は大きく、斜め前に出します。
- ボールに対しまっすぐに向かうようにします。

バリエーション

1. GKは、立った状態からまず最初に右のコーンを走って回り、前転をしてから、コーチが投げたボールにジャンプします。
2. 立った状態からGKはコーチからのグラウンダーを右足のインサイドで返し、右のコーンにタッチしてから、コーチが投げたボールにジャンプします。
3. コーチは腕立ての体勢から、コーンの列を跳び越えて左にジャンプし、左肩からローリングをします。素速く立ち上がり、再びコーンの列を跳び越えて戻り、コーチが投げたボールに向かいます。

基本練習1B

ゴールキーパーは3m幅のコーンのコースの入り口に立ち、コーチがボールを持ってコースの2m前に立ちます。コーチの合図（「左」または「右」）でGKは前転をして、左または右へコーンの列を越えてジャンプし、コーチが投げたボールに対応します。

バリエーション

GKはコーチに背を向けて立ちます。コーチの合図（「左」または「右」）で後転をしてからコーチのほうを向き、指示されたコーンの列を跳び越えてボールに対応します。

ポイント
- サイドへは1歩または複数のステップを踏みます（「ステップ-ステップ-ジャンプ」）。最後の1歩は大きく、斜め前に出します。

複数のゴールキーパーでテクニック練習

基本練習2A

GK1は6m幅のコーンゴールの間に入ります。GK2がその右横で腕立ての体勢になります。コーチはボールを持ってGK1の3m前に入ります。コーチの合図で、GK1は両足ジャンプでGK2を跳び越え、再びGK2を跳び越えて、コーチが投げたボールに反応します（短く一気に踏み切る）。

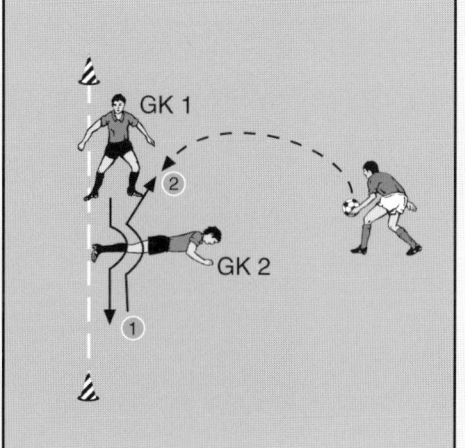

バリエーション

1. GK1は、GK2の上を越えて跳び込み前転をして、外のコーンにタッチし、再びGK2を越えてコーチの投げたボールにジャンプします。
2. GK1は両足ジャンプでGK2を跳び越え、すぐに腕立ての体勢をとります。次に、GK2が素速く起き上がり、コーチが左サイドに出したグラウンダーにダイブし、横になった体勢でボールをコーチに返します。素速く立ち上がり、コーチが投げたGK1を越えてジャンプします。次に、ポジションと役割を交代します。

ポイント
- 踏み切り足を曲げてから伸ばし、反対の脚は曲げて高く引き上げる。腕の振りを利用します。
- 重心を踏み切り足にかけます。

基本練習 2B

2人のゴールキーパー（1と2）とコーチで練習します。GK1の前に2個のミニハードルを置きます。2個めのハードルから先の左右にコーンの列をそれぞれ作ります。コーチが右側の列の延長上、GK2が左側の列の延長上に入ります。2人ともボールを持ちます。「左」または「右」の合図で、GK1は両足ジャンプでハードルを跳び越え（間の調整ジャンプなし）、コールされたコーンの列を越えて、コーチまたはGK2が投げたボールにダイブします。再び元の位置に戻り、また最初から行います。

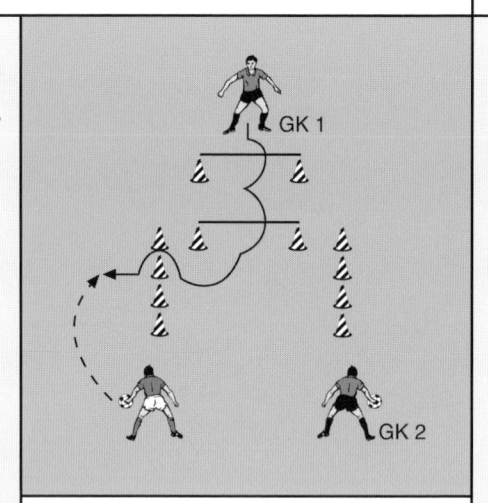

ポイント
- 練習2Aと同じ。

バリエーション
1. 2個のハードルを両足ジャンプで横向きに跳び越えます。
2. 2個めのハードルを1個めよりも高くします。GK1は1個めを正面向きの両足跳びで飛び越し、2個めの下をくぐり、ボールにダイブします。

ゴールを使った練習

基本練習 3A

2人のゴールキーパー（1と2）とコーチで練習します。GK1は大ゴールの中に入ります。その6m前正面に、5個のコーンを並べます。コーチはその2m右横に立ちます。GK2はボールを持って、ゴール前正面15mの位置に入ります。コーチがゴール前にハイボールを投げ、GK1は両手のフィスティングでコーチに返します。コーンを跳び越え、GK2からのグラウンダーを左のインサイドで返します。コーチのほうへターンして、コーチが投げたボールにダイブします。

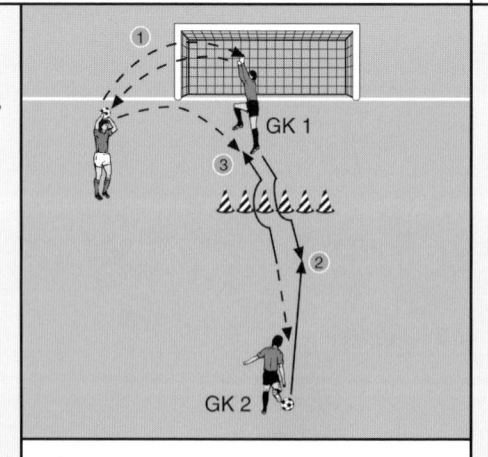

ポイント
- 両サイドを練習します。
- 踏み切り足で一気に力強く踏み切ります（短い接地で）。
- ボールに向かって直線的に加速。
- ボールに対して直接的な短い軌跡で向かいます。

バリエーション
1. GK1は前転をしてから、GK2からのグラウンダーのパスに対応します。
2. GK1がGK2からのグラウンダーのパスを返してから、ジャンプでコーンの列を跳び越えて、ゴール方向に前転をして、コーチのほうを向き、コーチが投げたボールに、コーンを跳び越えて対応します。

基本練習 3B

基本練習 3A と同じ。今度は、GK1 がコーチのほうを向き、コーンの列の右に立ちます。GK1 は前向きに走り、コーチからのグラウンダーのパスを、右足のインサイドで返します。バックランニングで戻って最後のコーンを回り、列の反対側に出て、コーチからの次のパスを左足のインサイドで返します。今度は GK2 の方向へ前転し、GK2 が投げたボールをヘディングで返します。コーチのほうを向き、コーチが投げたボールに対し列を跳び越えてダイブします。

ポイント
- 正確なパスの習得。
- 踏み切り足で一気に力強く踏み切ります（短い接地で）。
- ボールに向かって直線的に加速。
- ボールに対して直接的な短い軌跡で。

基本練習 3C

基本練習 3B と同じ。
GK1 はコーンの列を跳び越えて、コーチが投げたライナー（ハイボール）に対応します。ボールをコーチに投げ返します。GK2 がハイボールをゴール方向に投げます。GK1 はコーンの列を越えてゴール方向にスタートし、ボールをキャッチ、またはゴールの横または上にディフレクティングしようとします。

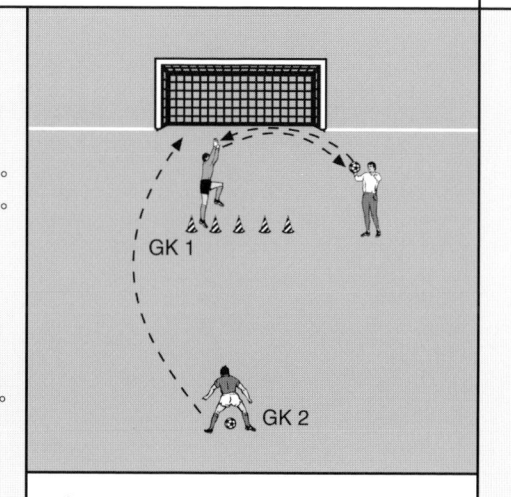

ポイント
- 踏み切り足で一気に力強く踏み切ります（短い接地で）。
- ボールに向かって直線的に加速。
- ボールに対して直接的な短い軌跡で。

ディフレクティング

アドバイス：
ディフレクティングのテクニックを習得するには、「グラウンダーに対するフォーリングとサイドのローリング」の項の個々の練習フォームも活用できます。

テクニックとコーディネーション

基本練習 1A

ゴールキーパーは5m幅のコーンゴールの中で腕立ての体勢をとり、頭は右のコーンに向けます。コーチはボールを持って、その5m前に立ちます。コーチの合図でGKは素速く立ち上がり、右のコーンにタッチして、左にターンし、コーチの方向を向きます。コーチが左のコーンの方向にグラウンダーを出します。GKは左の手でサイドにディフレクティングします。

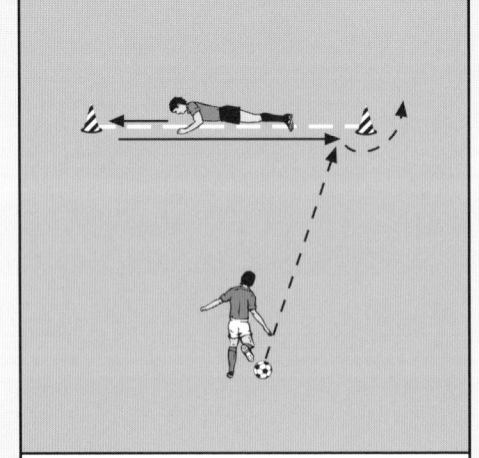

ポイント
- 手の拇指球の面を使ってディフレクティングします。
- 手首の関節を固定します。
- 肘関節の力を使ってボールに手を出します。

バリエーション

1. ゴールキーパーは、コーチの合図で素速く立ち上がり、後転をして、前方にスタートし、コーチが右サイドに出すグラウンダーに対応します。そのボールを右手でサイドにディフレクティングします。

2. ゴールキーパーは、腕立ての状態から立ち上がって前転をし、素速く走って右のコーンを回り、左コーンの方向でサイドステップで移動し、コーチが出すグラウンダーを左手でサイドにディフレティングします。

基本練習 1B

ゴールキーパーはコーンゴールの中央で腹ばいになります。頭はコーチのほうへ向けます。コーチはボールを持って、ゴールの 6 〜 7 m 前に入ります。合図で GK は素速く起き上がり、コーチが左サイドに出すグラウンダーを左手でサイドにディフレクティングします。腰を使って素速く起き上がり、コーチが右サイドに出す 2 本めのグラウンダーを右手でサイドにディフレクティングします。

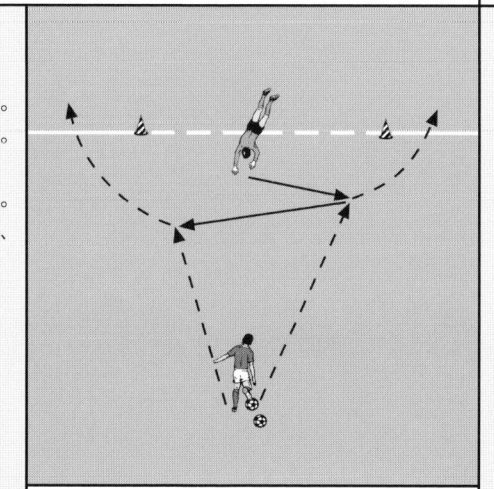

バリエーション

GK は、コーチに足を向けて腹ばいになります。

以下、同じ方法で行います。コーチは最初のボールを「右」または「左」とコールして、その方向に出します。

ポイント
- 練習 1A と同じ。

複数のゴールキーパーでテクニック練習

基本練習 2A

2 人のゴールキーパーとコーチで練習します。GK1 は、6 m 幅のコーンゴールの間で腕立ての体勢をとります。その 4 m 前と後ろに、コーチと GK2 がそれぞれボールを持って入ります。コーチは GK1 の右サイドにグラウンダーを出します。GK1 は腕立ての体勢からサイドにダイブして、右手でボールをサイドにディフレクティングし、素速く起き上がります。次に、GK2 の方向にターンし、右サイドへのグラウンダーにダイブします。

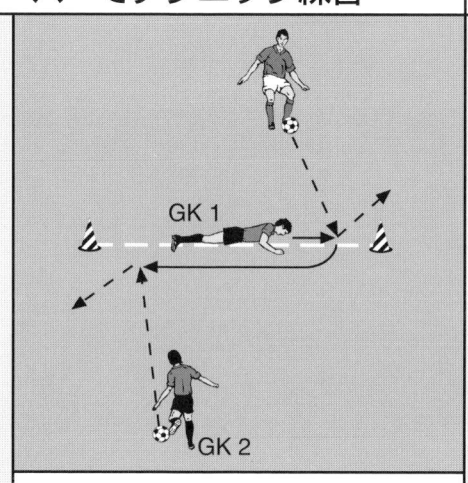

ポイント
- ボールをできるだけ早くディフレクティングします。
- ボールをサイドにディフレクティングします。
- 両サイドともトレーニングします。

基本練習 2B

GK1は、6m幅のコーンゴールの中央に入ります。コーチはボールを2個持って、その6～7m前に入ります。GK2はボールを持たずに、GKから見て、右のコーンから2mの位置に入ります。コーチは1本めのボールをライナーでGK1の右に投げます。GK1は、ボールを右手でGK2にディフレクティングします（腕の力を使って飛ばします）。コーチが2本めのライナーをGK1の左サイドに出します。GK1はフォーリングしながら、左の手でボールを左サイドにディフレクティングします。

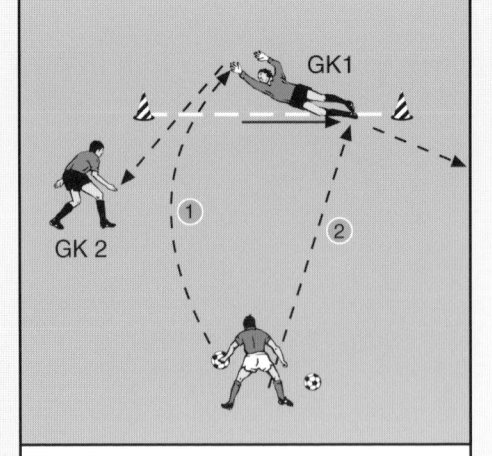

ポイント
- ボールをできるだけ早くディフレクティングします。
- ボールをサイドにディフレクティングします。
- 両サイドともトレーニングします。

ゴールを使った練習

基本練習 3A

ゴールキーパーは大ゴールの中央に立ちます。その5m前にコーンを置きます。コーチはボールを持って、ゴールの右斜め前4mの位置に入ります。コーチの合図でGKはコーンの方向に前転をして、走ってコーンを回り、ゴールの方向にスタートします。コーチがGKの右サイドにグラウンダーでシュートしたボールを、右手でサイドにディフレクティングします。数回行ったら、コーチはゴールの左にポジションを変え、また最初から行います。

ポイント
- 手の拇指球の面を使ってディフレクティングします。
- 手首の関節を固定します。
- 肘関節の力を使ってボールに手を出します。
- ボールをできるだけ早くディフレクティングします。

バリエーション

1. コーチがまず最初にGKにグラウンダーのパスを出し、GKは右足のインサイドで返します。その後、普通に開始します。

2. コーチはまず最初にGKの左サイドにグラウンダーを出します。GKはそのボールにダイブし、横になった状態からボールをコーチに転がして返し、素速く起き上がってコーンを回ります。

基本練習 3B

　GK1は、大ゴールの中央に立ちます。コーチはボールを持って、左ポストから4mの位置に入ります。GK2は右ポストから4mの位置に入ります。GK1は、GK2からのボールを両手でフィスティングし、ゴール方向に後転をして、素速く立ち上がり、コーチのほうを向いて、コーチが出すグラウンダーのボールを左手でサイドにディフレクティングします。

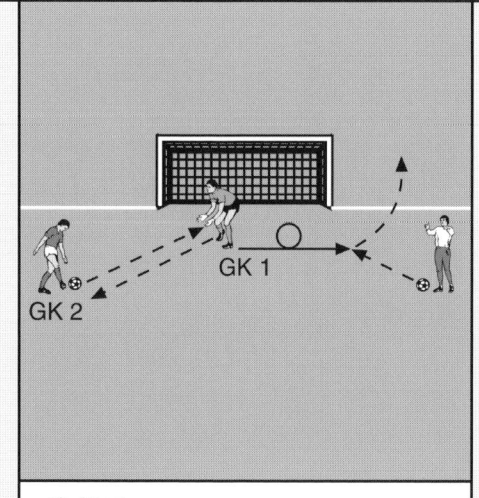

ポイント
- 練習3Aと同じ。

基本練習 3C

　大ゴールの前正面に5個のコーンを1列に置きます。GKは腕立ての体勢になり、コーチはボールを2個持って、最後のコーンから2mの位置に入ります。コーチの合図でGKは立ち上がり、最後のコーンまで走り、そこから反対側のコーンまでゴール方向にバックランニングをします。ゴールに一番近いコーンを通過したら、コーチはゴールの左隅にグラウンダーでシュートします。GKはダイブして、ボールを左手でサイドにディフレクティングし、素速く立ち上がって、コーンを跳び越して、コーチが投げるボールに対応します。

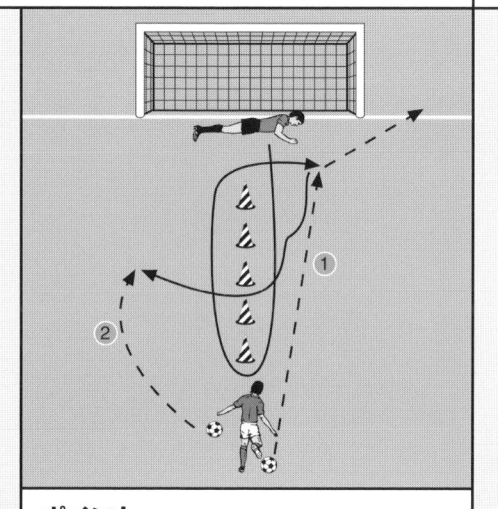

ポイント
- 練習3Aと同じ。

スローイング、キック、手からのボレーキック、ドロップキック

スローイングの際には、投げる方向に反対の足を出し、反対の腕を前に伸ばします。

テクニックとコーディネーション

基本練習1A

ゴールキーパーはハードルの横に立ちます。コーチはボールを持って、ハードルの横15mの位置に入ります。GKは片足ジャンプでハードルを跳び越え、コーチがドロップキックで蹴るライナーを身体の前でキャッチし、コーチにドロップキックで返します。バックランニングでコーンの後ろを回ります。コーチは次のドロップキックをGKに蹴ります。GKはこれをキャッチし、コーチにスローイングで返します。再びハードルを片足ジャンプで跳び越え、最初から同じように行います。

数回行ったら、GKはサイドを変え、ハードルを反対の足で跳び越えます。

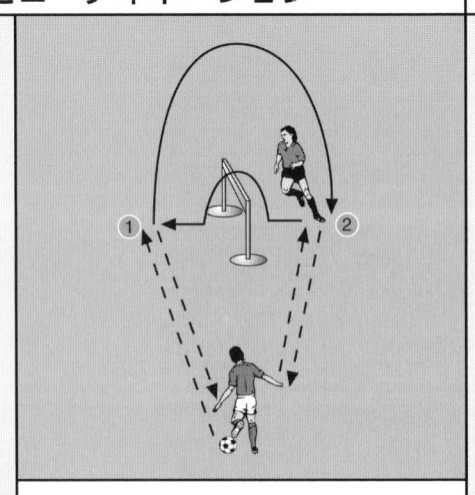

ポイント（ドロップキック）
- 腕を伸ばし、ボールを身体の前に落とすか、片手で少し投げます。
- 蹴り足の膝を引き上げます。ボールを膝の下でとらえます。

バリエーション

1. コーチが蹴った1本目のドロップキックをキャッチした後、ゴールキーパーはボールを持ってバックランニングでハードルを回ります。次に、ボールをコーチにスローイングで返し、ハードルを跳び越えます。以下、同様に続けます。

2. ゴールキーパーはハードルをくぐります。それ以外は1と同じです。

U-14（12-14歳） 6章

基本練習 1B
ゴールキーパーは、ハードルの横に立ちます。コーチはハードルから15 mの位置に入ります。GKは、GKから見て、ハードルの右に置いたボールを右足のキックでコーチに蹴ります。コーチはそれをキャッチします。GKはハードルを跳び越え、コーチからのハイボールをキャッチし、ボールをハードルの左に置き、左足のキックでコーチに蹴ります。再びハードルを跳び越え、コーチが出す次のボールをキャッチします。

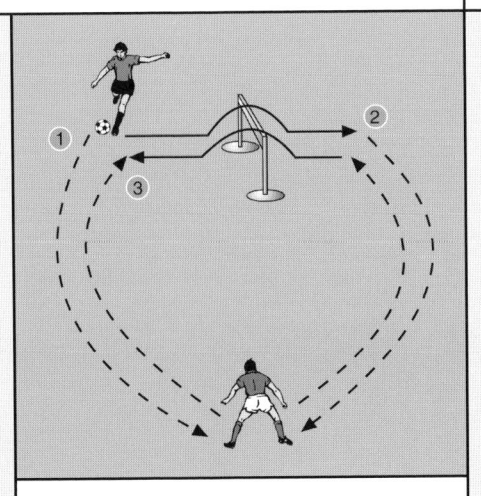

ポイント（キック）
- 立ち足をボールの横または後ろにおきます。
- サイドから助走します。
- ボールの中心をとらえます。

バリエーション
GKは、ボールをドロップキックあるいはボレーキックでコーチに蹴ります。

複数のゴールキーパーとテクニック練習

基本練習 2A
2人のゴールキーパー（1と2）とコーチで練習します。GK1がコーンの前に立ちます。その2 m左右にコーンを1個ずつ置きます。GK1から向かって、コーチはボールを持って8 m左に立ちます。GK2はボールを持って8 m右に立ちます。GK1はサイドステップで動いて、左のコーンの前に出て、コーチが出したライナーのボールをキャッチし、ドロップキックで返します。次に、サイドステップで後ろのコーンを回り、右のコーンの前に出て、GK2からのライナーのドロップキックをキャッチします。ボールをスローイングで返し、再びサイドステップで同様に動き、左のコーンの前に出ます。

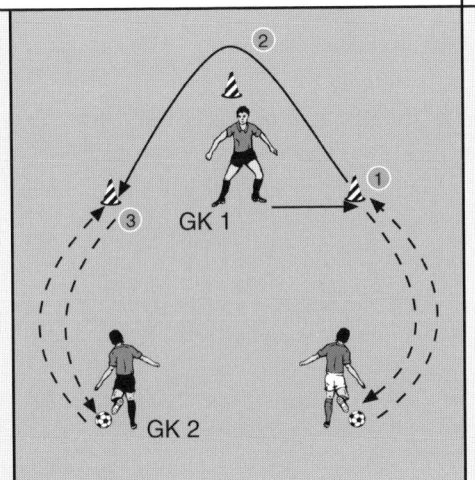

ポイント
- 足首を固定させ、つま先を下に向けます。
- 立ち足をボールを出す方向に向けます。
- 立ち足をボールの横につけます。

バリエーション
1. GK1とコーチ、GK2との距離を15 mに広げます。2人はライナーではなくハイボールで出します。その他の方法は同じです。
2. GK1は、コーチとGK2からのボールを受けた後、手からのボレーで返します。
3. ボール1個だけでプレーします。GK1は、コーチからのボールをドロップキックかスローイングでダイアゴナル（斜め）にGK2に返します。

153

基本練習2B

3人のゴールキーパーで練習します。GK1はボールを持って、5m幅のコーンゴールの中に入ります。GK2はボールを持たず、その15m前に入ります。GK3はボールを持って、GK2の15m後ろに入ります。GK1は、GK2をねらってドロップキックを蹴ります。GK2はボールを身体の前でキャッチし、ドロップキックでGK1に返します。次に、GK2はGK3の方向にターンして、ドロップキックのボールを受けます。以下同様に続けます。

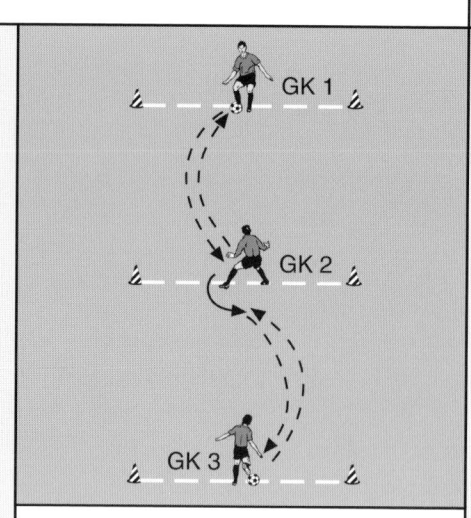

ポイント
- 基本練習2Aと同じ。

バリエーション

1. GK1は、手からのボレーキックでGK2にハイボールを出します。GK2はそれをキャッチし、GK1にスローイングで返し、GK3のほうを向き、GK3からのボレーを受けます。以下同様に続けます。

2. ボール1個で行います。GK1は、キックでGK2に出します。GK2はこれをキャッチして、GK3のほうへターンし、GK3にスローイングします。GK3はこれをキャッチし、ドロップキックでGK1に蹴ります。GK1は、再びキックをGK2に出します。以下同様に続けます。

ゴールを使った練習形式

基本練習3A

2人のゴールキーパーは、それぞれ5m幅のコーンゴールの中に立ちます（距離は25m）。その中央に大ゴールを置きます。GKは、ボールを手からのボレーキックあるいはドロップキックで大ゴールを越えて蹴ります。

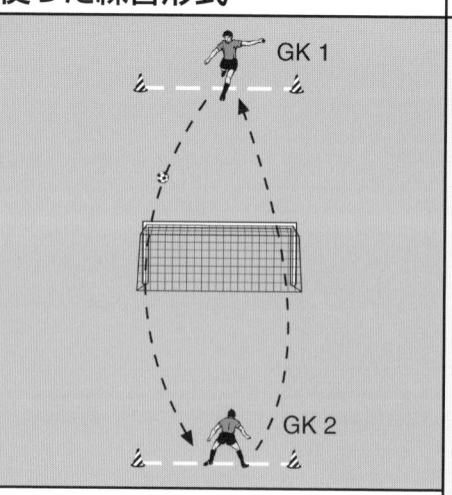

ポイント（手からのボレーキック）
- 少しステップして両手で少しだけ投げます。
- 両腕を伸ばして、ボールを身体の前に持ちます。

バリエーション

GK1は、大ゴールを越えた浮き球をGK2に出します。GK2はこれをバックパスとして受け、止めます。GK2は、同様に浮き球でゴールを越えてGK1に出します。

U-14（12-14歳） 6章

基本練習3B
基本練習3Aと同じ。
GK1は、ボールを大ゴールを越えてGK2にスローイングします。GK2はこれをバックパスとして受け、止めます。GK2は、プレースキックでゴールを越えてGK1に出します。GK1はこれをキャッチし、再びゴールを越えてGK2にスローイングします。以下同様に続けます。数回行ったら、役割を交代します。

ポイント（プレースキック）
- サイドから助走に入ります。
- ボールの中心をとらえます。
- 蹴り足は前に振り抜きます。

基本練習3C
GK1とGK2は、それぞれ大ゴールの中に入ります（距離は25m）。GK3はボールを持って、GK1のほうのゴールの左横に入ります。GK3は、キックでGK2に蹴ります。GK2はこれをキャッチし、GK1に対して、ドロップキックでゴールをねらいます。また最初から行います。シュートが決まったら、あるいは数回行ったら、時計回りにポジションと役割を交代します。

ポイント
- 基本練習3Bと同じ。

バリエーション
1. GK3は、ドロップキックをGK2に出します。GK2はこれをバックパスとして受け、インステップキックでGK1のゴールにシュートをねらいます。
2. GK3は、手からのボレーでGK2に出します。GK2はこれをキャッチして、手からのボレーで、GK1に対してゴールをねらいます。
3. 2つのゴールの間の距離を狭めます。GK3は、ドロップキックをGK2に出します。GK2はこれをキャッチして、スローイングでGK1のゴールにシュートをねらいます。

フィールドプレーヤーの能力：バックパスへの対応

フィールドプレーヤーの能力は、ウォームアップ・プログラムの中、ゴールを使った練習形式、あるいはチーム・トレーニングの中で、重点的に習得することができます。そのためには、時にはゴールキーパーをフィールドプレーヤーとしてプレーさせることが有効です。「やることによって学ぶ」のです。

複数のゴールキーパーとテクニック練習

基本練習1

コーンで三角形（一辺7m）を作ります。それぞれのコーンにゴールキーパーが1人ずつ入ります。GK1と2がそれぞれボールを1個ずつ持ち、交互のグラウンダーのパスをGK3に出します。GK3はGK1からのボールを左足のインサイドで1タッチで返し、サイドステップでGK2の方向に動き、GK2からのボールを右足のインサイドで1タッチで返します。再びサイドステップでGK1のほうへ戻ります。以下同様に続けます。

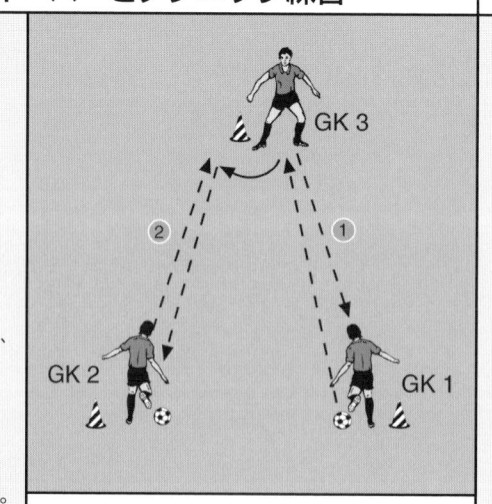

ねらい

- 全般的なテクニック能力の習得。
- 両足を使えるようになること。

バリエーション

1. GK3は、GK1からのボールを右足のインサイドで返し、GK2からのボールは左足で返します。
2. ボール1個で行います。GK1は、GK3にグラウンダーを出します。GK3は、右足のインサイドで1タッチでGK2へパスします。GK2は、これを1タッチでグラウンダーでGK3に返します。GK3は、左足のインサイドで1タッチでGK1に出します。以下同様に続けます。

アドバイス：この練習では、GKのボールに向かうスタンスに注意します。プレー方向にタイミングよくターンするようにしなくてはなりません。

基本練習2

5個のコーンを図のように置きます（距離は7m。1～5まで番号をふる）。3人のゴールキーパーとコーチは、ボールを持って外のコーンに入ります。1人のGKはボールを持たずに真中のコーンのところに入ります。コーチが真中のGKにグラウンダーを出すところから開始します。真中のGKは右足のインサイドで1タッチで返し、左にターンして次のGKのほうを向きます。このGKからのパスを右足のインサイドで1タッチで返し、左にターンして次のGKのほうを向きます。以下同様に続けます。

アドバイス
- パスは正確に出すようにします。中のGKは、サイドステップで右または左に動き、できるだけ早くボールに対し最適なスタンスをとります。

バリエーション
1. GKが中央で4本のボールを右足で処理したら、コーチはグラウンダーを左足にパスします。このパスを左のインサイドで1タッチで返し、右にターンして、次のGKからのボールを左足で1タッチで返します。以下同様に続けます。全員が右足で2ラウンド、左足で2ラウンドずつ行ったら、ポジションと役割を交代します。
2. さまざまなボールを使います（テニスボール、ミニサッカーボール等）。

ゴールを使った練習形式

基本練習3

3人のゴールキーパーとコーチで練習します。GK1は大ゴールに入り、コーチはボールをいくつか持って、25m前に入ります。GK1の右斜め前と左斜め前にそれぞれGK2と3が入ります。コーチはGK1にグラウンダーを出し、GK1はそれを受けてインステップでグラウンダーでGK2にパスします。GK2はそれを1タッチでコーチへ出し、コーチはグラウンダーでGK1にパスします。GK1はこれを受け、インステップでGK3にパスします。GK3は1タッチでコーチに返します。また最初から続けます。

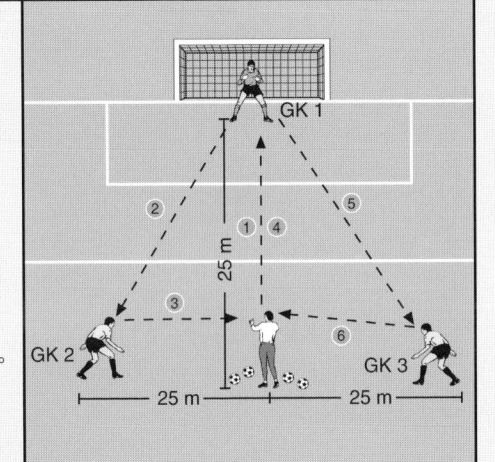

ねらい
- 正確なパス。
- 全般的なフィールドプレーヤーのテクニック（インステップキック）。

バリエーション
1. GK1は、1タッチでGK2と3にパスします。
2. コーチはボールをGK1の両サイド（左右）にパスし、GK1はどちらのGKにパスを返すかを判断します（アドバイス：ボールを常にゴールから遠くへ）
3. GK1は浮き球のパスをします。GK2と3は、1タッチでコーチに返します。

図10

トレーニング・セッション例

オーガナイズ

- 時　　間　　60分
- グループの人数　2～4人
- 用　　具　　ボール8個、コーンまたはマーカー
  大ゴール1、5mゴール1（なければ
  フラッグゴール）
- 狙　　い　　ライナーのボールの正面でのキャッチ
  ハイクロスのキャッチ
  グラウンダーのボールに対するフォーリングとサイドのローリング
  ライナーとハイボールに対するダイビングとジャンプ
  サイドのローリング
  スローイング
  キック
  ドロップキック
  フィールドプレーヤーのテクニック
  （バックパスの対応と確実なプレーの組み立て）

ウォームアップ

- ウォームアップ　P.126「ボールなしのコーディネーションランニングフォーム」と練習1参照。
- 時　　間　　15～20分

メイン

- テクニック練習　練習1参照
- ライナーの正面でのキャッチ　練習2参照

U-14（12-14歳）　　**6章**

グラウンダーのボールに対するサイドのローリング

練習1

GK1は、地面に手と膝をつきます。GK2はその横。コーチはボールを複数持って、GKの前に入ります。コーチの合図で、GK2はGK1を跳び越え、GK1は腕立ての体勢になります。GK2は今度はGK1の下をくぐり抜け、コーチがサイドに出すグラウンダーにダイブします。次は、GK2が手と膝をつき、GK1が跳び越えます（アドバイス：コーチはボールを出すタイミングを、GKがはった体勢から立ち上がるまで待ちます）。

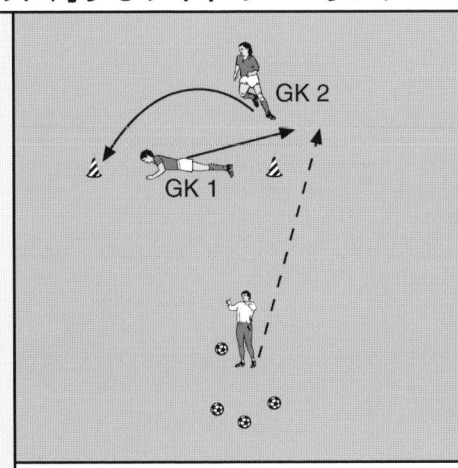

ポイント
- 腰、体側、肩の順にローリングをします。
- 「ボールを身体の前で押さえます」。グラウンダーのボールが右に来たら、細かいステップでボールに向かって右足で処理し、ボールをできるだけ早く押さえます。

練習2

ゴールキーパー（ボールを持つ）の3m前に複数のコーンを1列に横に並べます。そのすぐ後ろにコーン2個で6m幅のゴールを作ります。その5m後ろにコーチが立ちます。GKはコーチの合図で、コーチにドロップキックを蹴り、すぐに前転をして、コーンの列を跳び越え、コーチがサイドに出したグラウンダーにダイブします。コーンの列を跳び越える直前に、コーチはどちらのサイドにボールを出すかを指示します。

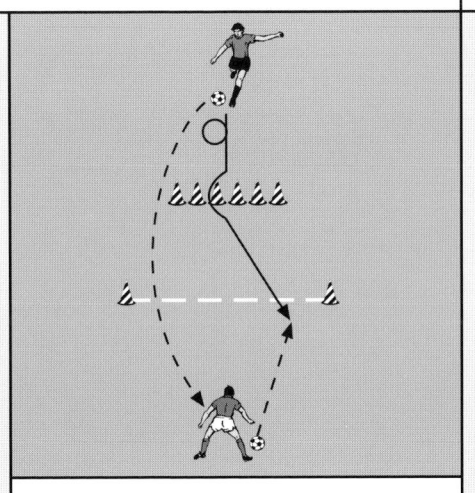

ポイント
- ボールを両腕を伸ばして身体の前に落とします。あるいは片手で軽く投げます（ドロップキック）。
- 腰、体側・肩の順にローリングをします（グラウンダーのボールのセーブ）。

ダイビング／ジャンプとサイドのローリング

練習

　ゴールキーパーは腕立ての体勢になります。ゴールの左横にコーンの列を作ります。コーチはボールを持って、GKの3m前に入ります。合図でGKは腹ばいになり、素速く左に転がってから立ち上がり、コーンにタッチしてから、コーンを跳び越えてコーチが投げたボールにダイブします。数回行ったら、サイドを交代します。

ポイント
- 重心を踏み切り足にかけます。
- 踏み切り足で力を爆発的に発揮します（短い接地）。
- ボールに対し直線的に加速します。

図11

トレーニング・セッション例 〈第2部〉

スローイング、キック、ドロップキック

　以下の練習は、スローイング、キック、ドロップキックのテクニックと並んで、全般的なフィールドプレーヤーとしての能力（確実にボールを受け、バックパスに対応。確実なプレーの組み立て）も習得します。さらに、練習2ではクロスのキャッチも練習します。

時間：15～20分間

U-14（12-14歳） 6章

2〜4人のゴールキーパーでモチベーション・フォーム

練習1
GK1は大ゴールに入ります。20m先のゴールエリアの右の角の延長上に5mゴールを置き、GK2が入ります。5mゴールの5m前にラインを引き、大ゴール前正面、ペナルティエリアのライン上にコーンを置きます。コーチはボールを複数持って、5mゴールの15m前に立ちます。コーチはボールをGK2にバックパスとしてパスします。GK2はラインの前でこれを受け、コーンの方向へドリブルしながら進み、GK1のゴールにシュートします。ゴールが決まったら、役割を交代します。

バリエーション
コーチはGK2の5mゴールの前にクロスを出し、GK2はラインの前でゴールをキャッチし、ドロップキックで大ゴールにシュートします。

アドバイス
- コーチから、グラウンダー、ライナー、ハイボールのバックパスを出します。

練習2
GK1は大ゴールに入ります。GK2はその前20mの距離にコーンを置き、そこに入ります。コーチはボールを複数持って、ペナルティエリアの外にいます。コーチはゴール前にクロスを上げ、GK1はそれをキャッチし、コーンの方向にスタートします。同時に、GK2はゴールの方向にスタートします。GK1がコーンを回ったら、ドロップキック（スローイング）でシュートをねらいます。ゴールが決まったら、またゴールに入って再開します（複数回行ったら、逆サイドからクロスを入れます）。

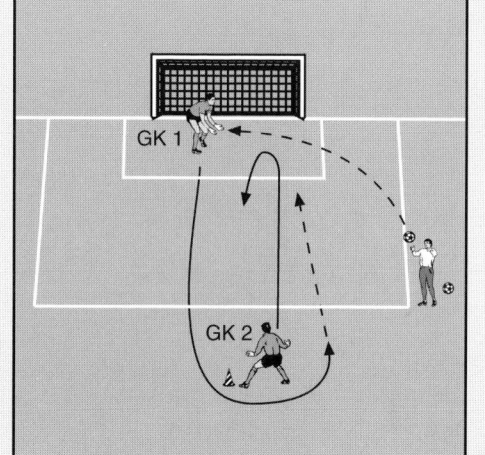

ポイント（クロス）
- 両腕を振ってジャンプします（腕のスイングを利用）。
- 地面を力強く蹴ります。反対の脚の膝と腕を使います。

アドバイス
これらのモチベーション・フォームは、15〜20分間とします。

CHAPTER 7 U-16（14-16歳）、U-18（16-18歳）

最後の仕上げ：U-16、U-18の競技トレーニング

年齢や発達の前提が似ているため、U-18とU-16では実践の特徴は同じです。両年代ともゴールキーパーは、テクニック、戦術、コンディション、メンタル面において、同じ前提を満たさなくてはなりません。ただし、トレーニングの量と強度は異なります。U-16からは、いわゆる競技トレーニングが始まります。

U-16、U-18年代の ユース・ゴールキーパー・トレーニングのためのアドバイス

- 競技トレーニングは、名前が表すように、高いパフォーマンス能力の基礎を得ることが目標となります。しっかりしたベースがある場合には、システマティックなトレーニングによって、より強化されていきます。すでに習得したゴールキーパーのテクニックを、より向上したフィジカル面やその他の前提に適応させていく、ないしは、安定化させていき、戦術行動を最適化させていきます。
- 第2次性徴に伴い、身体的に完全な成熟に達します。縦方向の成長から、次第に横方向の成長へと中心が移っていきます。プロポーションのバランスがとれるようになってきます。このことは、特に体格の面において、一般的および専門的なコーディネーション能力に有利に作用します。
- 運動能力のための記憶能力（「学習したことを忘れない」）が顕著になってきます。
- 骨格システムの負荷能力が高まり、オーバーロードによる障害の危険が低くなります。
- コンディションおよびコーディネーション能力は、この年代では最高の強度で習得すべきです（「運動のパフォーマンス向上が高まる時期」に相当します）。
- あらゆる負荷要素を、システマティックに段階的に向上させていきます（強度、量、時間、密度－トレーニング目標に応じて）。
- 負荷と回復の段階を組み合わせます。
- パサー（シュート、ジャンプ、スローの力）と無酸素性持久力のトレーナビリティが高まります（ただし、ゴールキーパーを、フィールドプレーヤーの専門的な無酸素性持久力のトレーニングに組み込む必要はありません）。
- 全般的および専門的筋力を向上させるためには、多面的な練習を提供します。
- 筋力不足は、脊柱に過剰な負荷をかけないようなトレーニングで補います。
- ゴールキーパーのテクニックは、洗練し、自動化するようにします。すでに習得したテクニックを、適切に適用させるようにします。
- テクニックの実行を高いクオリティーで行うように注意します（ポジション、テンポ、緊張とリラックスの組み合わせ）。
- 個々のゴールキーパーおよびフィールドプレーヤーの専門的テクニックは、うまく組み合わせて習得させるようにします。テクニックとコーディネーション練習も同様です。
- 技術・戦術要素は、専門的、複合的な練習形式およびゲーム形式で徹底的に習得します。
- 技術・戦術行動は、チームトレーニングの中で、ゲーム形式で強化することができます（時間と相手のプレッシャーのもとでテンポを高めていきます）。このことによって、素早く判断する能力を高めます。

コーチとゴールキーパー

- 誤りを適切に指摘し修正します。
- ゴールキーパーと、メインで責任をもつコーチの間に積極的なコミュニケーションと協力関係がある場合、ユース育成の成果は最適なものとなります。
- 毎回のトレーニングを、できるだけ高い強度で、集中した、変化に富んだものとなるように組みます。
- ゴールキーパーをトレーニングのプランニングに参加させます。たいていの場合、ゴールキーパーも一緒に計画を立てて責任をもつことに、大きな関心をもつものです。
- ゴールキーパーとコーチの話し合いは有意義なものです。

図12a　要求の特徴

テクニック

テクニック

コーディネーション能力

- 方向感覚能力
- 反応力
- バランス感覚
- リズム感覚
- 細分化能力

テクニック能力

- 基本姿勢
- 正面のグラウンダーおよびライナーのキャッチ
- ハイクロスボールのキャッチ
- 正面のハイボールのキャッチ
- グラウンダーのボールに対するフォーリング、サイドのローリング
- グラウンダー、ライナー、ハイボールに対するダイビング、ジャンプ、サイドのローリング
- ハイボールへのダイビング、後方へのフォーリング
- ジャンプしながらのディフレクティング・テクニック
- スローイング、キック、手からのボレーキック、ドロップキック
- フィールドプレーヤーの能力。時間、相手のプレッシャーがある中でバックパスを処理し、プレーを確実に組み立てられるようにする。

図12b

戦術、コンディション、メンタル

戦術
- ポジショニング
- セットプレーの守備
- 簡潔で的確な言葉で守備を組織
- ペナルティエリアの支配（クロスおよびスルーパスのキャッチ）
- ボールを保持した際の素速いプレーの組み立て
- 相手FWが突破してきたときの1対1、ハイボールに対する競り合い
- ボールをめぐる戦いで最後まで頑張り抜く

コンディション
- 有酸素性持久力の向上
- 無酸素性持久力の向上
- スピード・トレーニング（コーディネーション・トレーニングの枠組みの中で）
- ジャンプ力、パワーの向上
- サッカー専門的および一般的ストレッチングで可動性の向上
- 体幹、腹筋の強化

メンタル
- 集中力：この年齢に特有のメンタル面のバランスは、トレーニング・プロセスに有利に作用する。これは、ホルモン調整の安定化によるものである。
- チームリードするプレーヤーとしてのパーソナリティの発達
- 全般およびゴールキーパーのプレー専門において、サッカーのゲームに対するモチベーションの向上

図13

年齢に即したウォームアップ

U-16およびU-18のウォームアップは、U-14のものとは特に以下のポイントで異なります。

- 量と強度が高まる。
- 難度が高まる。
- この後に受けるトレーニング負荷に対し、積極的に目的をもって準備する。

1. ボールなしのコーディネーション・ランニングフォーム

U-14のゴールキーパーのウォームアップ・プログラムを参照。

2. ボールありのコーディネーション・ランニングフォーム

U-14のゴールキーパーのウォームアップ・プログラムを参照。

3. アドバイス

- U-14とは異なり、ここではゲーム形式は行いません。U-16、U-18の場合は、その後のトレーニング重点に対して準備するようにします。
- ウォームアップ・プログラムは、ボールなしのコーディネーション・ランニングから開始します。その後、適切なストレッチング、筋力強化の体操、ボールありのコーディネーション・ランニング（場合によりコーチが参加）へと進めていきます。あるいは、U-14ゴールキーパーのウォームアップ・プログラムからの練習形式を採用します。

U-16, U-18

2人組練習

練習1

2人のゴールキーパーで、各自ボールを持ち、横に並んで走りながら、両方のボールを同時に空中に投げ上げます。互いにサイドを入れ替わり、相手が投げたボールをキャッチします。

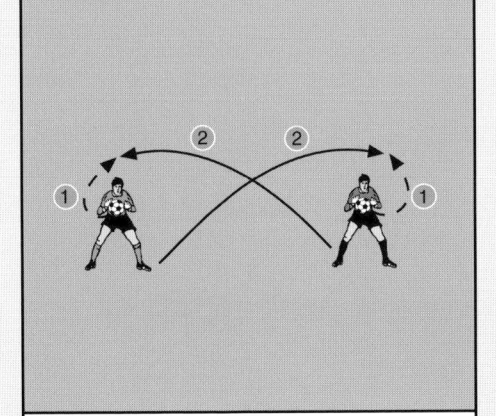

ねらい
- モチベーションを高めるウォームアップ。
- ボール感覚およびアジリティ（敏しょう性）の向上。
- コーディネーション能力の向上。
- GK専門および全般のテクニック能力の習得。

バリエーション
1. GKは短くキックし、それを互いにキャッチします。
2. GKは横に並んで走ります。合図でGK1は、自分のボールを頭上に高く投げ上げます。GK2は自分のボールをGK1に渡し、このボールをキャッチします。GK1はポジションをGK2と入れ替えます（2人はあまり距離をあけずに走ります）。次に、合図でGK2が再びボールを高く投げ上げ、GK1が自分のボールを渡して、投げ上げられたボールを逆サイドでキャッチします。

練習2

2人のゴールキーパーがボールを1個ずつ持ちます。合図でそれぞれ自分のボールを同時に間に転がし、素速くサイドを入れ替わり、パートナーのボールにダイブします。

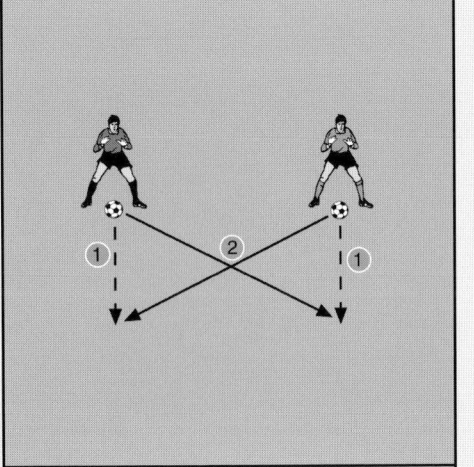

ねらい
- 練習1と同じ。

バリエーション
1. 1人のGKが合図で自分のボールを前に転がし、もう1人は同時に自分のボールを空中に投げ上げます。2人はパートナーのボールにスタートします。
2. GKは縦に並んで走ります。後ろのGKは自分のボールを両手で持ち、身体の前に手を伸ばします。合図で前のGKがボールを空中に投げ上げ、素速くもう1人のGKの方向にターンしてそのボールにタッチし、再びターンして自分のボールをキャッチしようとします。

7章

練習3

2人のゴールキーパーがボールを1個ずつ持ち、縦に並んで走ります。前のGK1はバックランニングをします。GK1はボールを両手で持って、GK2は前向きにランニングしながらドリブルします。合図でGK1は止まり、両脚を広げ、GK2に自分のボールを投げます。GK2は自分のボールをGK1の開いた脚の間を通して出し、投げられたボールをキャッチします。GK1は、ボールめがけて後方にダイブします。

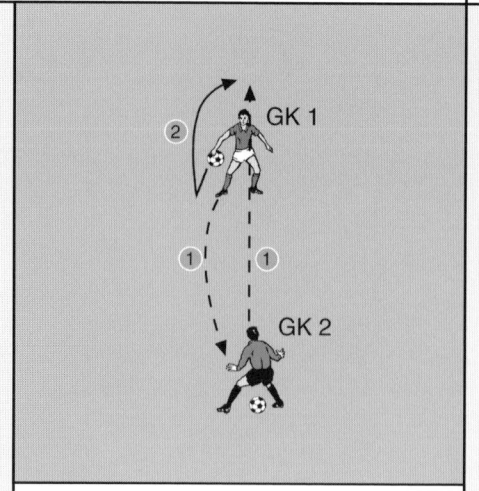

バリエーション

1．GK1は、後転してターンしてからボールへダイブします。GK2は、GK1が追いつけるように、ボールをタイミングよく出します。

2．GK1は、合図でボールをGK2に投げます。同時に、GK2は自分のボールをグラウンダーでGK1の左右に交互に出します。GK1はすぐにボールにダイブします。

一定距離走ったら、役割を交代します。

ねらい
- 練習1と同じ。

ボールあり、コーチが加わってのランニング

練 習1

2人は横に並んで走ります。コーチがボールを持って間に入ります。コーチはボールを高く投げ、2人はそれを交互にキャッチします。その際、コーチが妨害します。

コースを2回走り、GKは片方は左足踏み切り、もう片方は右足踏み切りでジャンプするようにします。

バリエーション

先に1回転してから、キャッチ（コーチが妨害）。

ねらい
- 全般的ウォームアップ。
- モチベーションを高めるウォームアップ。
- コーディネーション能力の習得。
- GK専門的テクニックの習得。

U-16, U-18　7章

練習2

　2人のゴールキーパーとコーチで練習します。コーチがボールを持ちます。
　2人のGKは、コーチが見えるようにサイドステップで動きます。コーチの合図で右（左）のGKがターンして、コーチが高く投げたボールをキャッチします（キャッチの際、コーチが妨害します）。

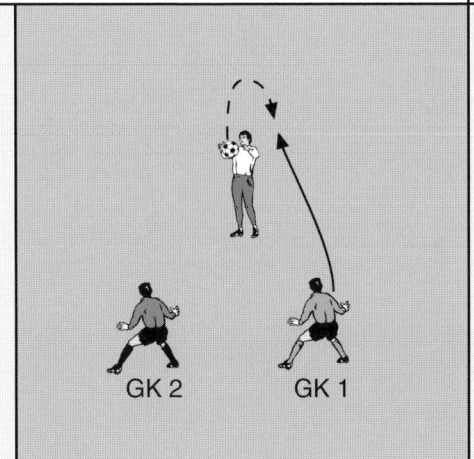

GK 2　GK 1

ねらい
- 練習1と同じ。

バリエーション
　ターンの後、前転をしてからキャッチ。

練習3

　2人のゴールキーパーとコーチで練習します。コーチがボールを持ちます。
　2人のGKがバックランニングをします。コーチの合図でその場で止まり、前のGKが両脚を開きます。後ろのGKは両脚の間をくぐり、コーチが転がすボールにダイブします。

ねらい
- 練習1と同じ。

バリエーション
1. 後ろのGKは、前転をしてからダイブ。
2. 前のGKは四つんばいになり、後ろのGKがそれを跳び越して、サイドに投げられたボールをキャッチします。

練 習 4

ゴールキーパーとコーチで練習します。GKは両手でボールを持ち、前に走ります。コーチもボールを持ち、その後ろに入ります。コーチの合図でGKは自分のボールを高く投げ、同時にコーチは自分のボールをGKの左（右）の肩越しに投げます。GKはそのボールにダイブします。コーチはGKのボールを取ります。

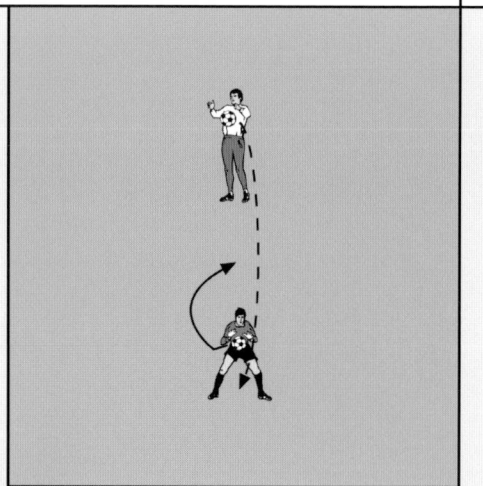

バリエーション

GKはバックランニングをします。コーチは合図をして自分のボールを投げ、GKはそのボールに向けダイビングをします。

ねらい

- 練習1と同じ。

練 習 5

2人のゴールキーパーが縦に並んで走ります。コーチはボールを持ち、その横に入ります。コーチの合図で前のGKは素速く後転をし、後ろのGKはそれをよけて、コーチが出したサイドからのグラウンダーのボールにダイブします。

バリエーション

後ろのGKは、前のGKが後転をする間に跳び越してからグラウンダーのボールにダイブします（サイドからのハイボールをキャッチします）。

ねらい

- 練習1と同じ。

ゴールキーパー・テクニック

ゲーム形式と練習形式

　ゴールキーパー専門のテクニックの実践のための練習形式を紹介します。各テクニックは、3つの基本練習で構成されています。これらは互いに組み合わせることでバリエーションをつけることができます。ゴールキーパーの専門的テクニックである「基本姿勢」「グラウンダーおよびライナーの正面およびサイドのキャッチ」をマスターしていることが前提となります。

　U-16およびU-18のゴールキーパーのトレーニングでは、当然のことながら、U-14の練習形式からも活用することができます。各練習の強度と難度は、各自の発達段階に応じて選択します。この年代では、ほとんどのゴールキーパーのテクニックは、適切に組み合わせて練習することができます。

基本練習1
コーディネーションと結びつけたテクニック練習。
基本練習2
複数のゴールキーパーでのテクニック練習。
基本練習3
ゴールを使った練習形式。

注　意

- コーディネーションの習得は、ウォームアップ・プログラムの中で、またテクニック練習形式と組み合わせて行われます。

- 戦術的要素である「ポジショニング」「セットプレーの対応」「ペナルティエリアの支配」(スルーパスとクロスのキャッチ)、「ボールを保持した際の素速いプレーの組み立て」「相手FWが突破してきたときの1対1、ハイボールに対する競り合い」「ボールをめぐる戦いで最後まで頑張り抜く」は、基本練習3(ゴールを使った練習形式)の中で扱います。

ただし習得のためには、チーム・トレーニングの中で重点的に行わなくてはなりません。
「簡潔で的確な言葉で守備を組織」は、グループ戦術、チーム戦術のゲーム形式の中で習得され改善されます。コーチはゴールキーパーのプレーを観察し、味方に適切な「コーチング」を与えるための助言をします。これらのことも、この年代で導入します(「フィールド上では一言で伝える」)。

- U-16、U-18では、以下のコンディション要素を重点的にトレーニングします。
  1．有酸素性、無酸素性持久力。
  2．スピード(コーディネーション・トレーニングの枠組みの中で)。
  3．ジャンプ力、パワーを、トレーニング用具やパートナーを使ったジャンプ練習で、ボールを使ったアクションと結びつけて。
  4．可動性(サッカー専門的および一般的ストレッチング・トレーニング)。
  5．体幹、腹筋の筋力を、自分の体重、パートナーとの練習、軽い負荷を使って強化する。

- それによって、トレーニングやゲームに対する取り組み、姿勢を向上させます。

正面のキャッチ、ハイクロスのキャッチ

テクニックとコーディネーション

基本練習1A
　ゴールキーパーは1個のコーンのところでリフティングをします。コーチがそこから5mの位置に入ります。合図でGKはボールをコーチに出し、前転をして、コーチが投げたハイボールをキャッチします。

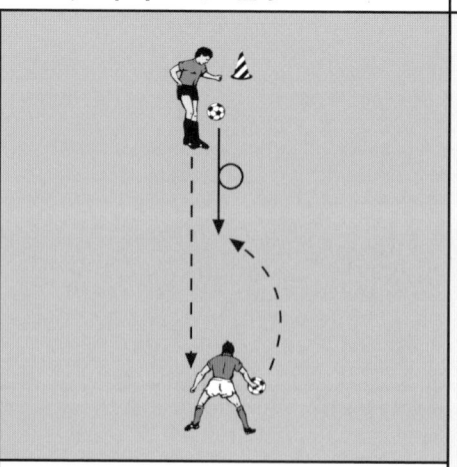

バリエーション
1. コーチが積極的に妨害します。
2. GKはコーンから2mの位置でリフティングをします。合図でコーチにボールを出し、後転をして、バックランニングでコーンを回ったら前転をして、コーチが投げるハイボールをキャッチします。

ポイント
- ジャンプの際に両腕を使います（腕を積極的に活用）。
- 両腕を前あるいは上に、ボールに向かって伸ばします。両手は手首を固定して扇形を作り、ボールをつかみます。

U-16, U-18　7章

基本練習 1B

ゴールキーパーは、コーン A のところでリフティングをします。その 5 m 左右にさらにコーンを 1 個ずつ置きます。コーチはボールを持たずに 10 m 離れた位置に入ります。コーチの合図（「左」または「右」）で、GK はボールをコーチに出し、コールされたコーンの方向に前転をしてコーンにタッチします。次に、コーチのほうを向きながらバックランニングをして最初のコーンに戻ります。コーチがボールを GK に高く投げ、GK はバックの動きをストップし、ボールをキャッチします。

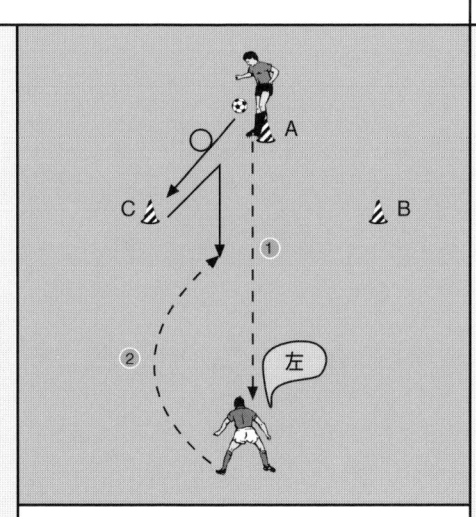

ポイント
- 基本練習 1A と同じ。

バリエーション

GK はコーンのところに立ちます。コーチの合図で素早く 1 回転して、コーチが投げたボールをキャッチします。ボールを投げ返し、走ってコーン C を回ります。次にコーン A の方向に前転をし、そのコーンを回り、コーチが出すグラウンダーのボールに対応します（コーチはコーン B の方向に出します）。GK はこのボールに対し、左サイドにダイブします。

また最初から開始します。今度は、GK はコーン C の方向にスタートします。

複数のゴールキーパーでテクニック練習

基本練習 2A

コーン A, B, C で三角形を作ります（距離 15 m）。各コーンのところにゴールキーパーが 1 人ずつ入ります。GK1 はボールを両手に持ち、GK3 はボールを足元に置きます。コーチの合図で GK1 は自分のボールを GK2 に高く投げ、2 はキャッチします。同時に GK3 は自分のボールをグラウンダーで GK1 に出し、1 は 3 方向にターンしてこのボールを止めます。次に、2 は自分のボールを 3 に投げ、1 からのグラウンダーを止めます。以下同様に続けます。コーチが「方向変換」の合図をしたら、反対方向に同様に続けます。

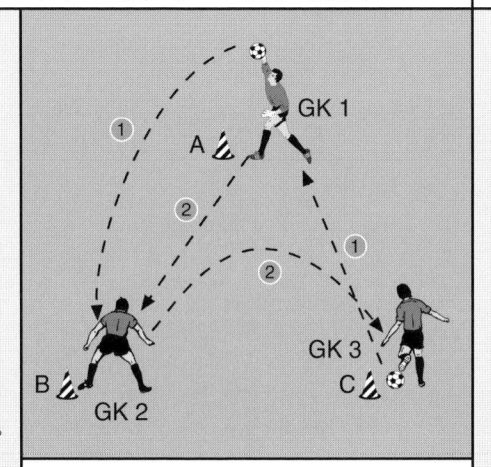

ねらいとポイント
- 全般的なフィールドプレーヤーの能力の習得。
- ボールに触れる際に腕を巻き込み、ボールを身体に引き込みます。
- 常に片足踏み切りでジャンプ。

バリエーション

1. GK2 もボールを足元に置きます。コーチの合図で GK は全員、自分のボールを同時に出します。GK1 は GK2 にハイボールを投げます。GK2 は GK3 にグラウンダーを出します。GK3 は GK1 にグラウンダーを出します。コーチの「方向変換」の合図で、反対方向にプレーします。

2. GK3 だけがグラウンダーを出します。2 つのボールがハイボールになります。1 つのボールがグラウンダーでパスされます。

173

基本練習2B

コーンA、B、Cで三角形を作ります（距離15m）。各コーンのところにゴールキーパーが1人ずつ入ります。コーチの合図で、それぞれ自分のボールを自分の上に高く投げ上げます。3人は時計回りに次のコーンへ移動して、パートナーのボールをキャッチします。コーチの「方向変換」の合図で、反対方向にプレーします。

バリエーション

1. GKは自分のボールを地面に力強く弾ませ、時計回りに移動します。
2. 時計回りにパートナーにボレーを蹴り、キャッチしたボールを空中に投げ上げます。コーチの「方向変換」の合図で、反対方向にプレーします。
3. GKは、時計回りにドロップキックをパートナーに蹴ります。以下同様です。

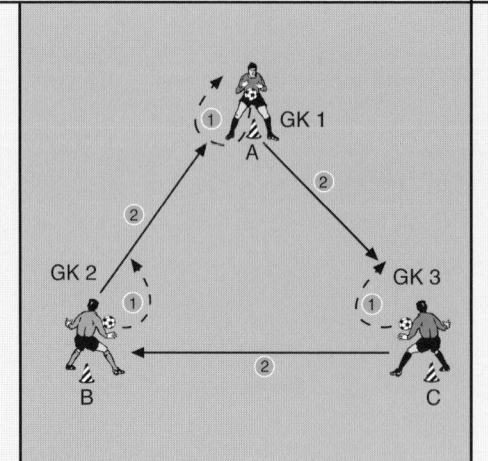

ねらいとポイント

- 基本練習2Aと同じ。

ゴールを使った練習フォーム

基本練習3A

2人のゴールキーパーとコーチで練習します。GK1は大ゴール前にコーンを置き、そこでボールを膝に挟んで立ちます。そこから16mの位置にコーンを置き、GK2がボールを持たずにそこに入ります。コーチはボールを持ち、ゴールエリアの角の辺りに入ります。コーチの合図でGK1は前転をします。膝に挟んでいたボールを落とし、それをGK2にパスします。GK1はバックランニングで戻ってコーンを回ります。次に、コーチはボールを高く投げ上げます。1はそれをキャッチし、コーチにアンダーハンドのグラウンダーで返します。2はインステップキックで、1に対しシュートをねらいます。

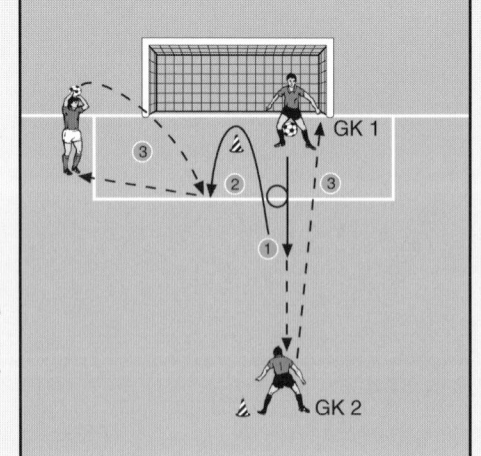

アドバイス

- コーチはゴール前の両サイドにボールを投げます。
- シュートが決まったら、あるいは数回行ったら、ポジションと役割を交代します。

バリエーション

GK2がボールを持ちます。コーチは持ちません。GK1は後転をし、膝に挟んでいたボールを落として、コーチにパスします。2の方向に向き直ります。2は自分のボールをゴール前に高く投げます。1はキャッチし、2にアンダーハンドのグラウンダーで返します。1は再びコーチの方を向きます。コーチはゴールのニアポストにグラウンダーを蹴ります。GK1はこれにダイブします。

注意：コーチは、ゴールの両隅に交互にボールを出します。

基本練習 3B

基本練習 3A と同様の配置。GK1 はボールを持たず、コーチが 2 個持ちます。

コーチの合図で GK1 は前転をし、コーチが投げたハイボールをキャッチします。このボールを GK2 にスローイングし、2 の方向に前転をします。2 はこのボールをドロップキックでゴールにシュートします。1 はこのシュートを守り、コーチのほうを向きます。コーチは 2 個めのボールをニアポストにグラウンダーで出します。1 はこれに対してもゴールを防ぎます。

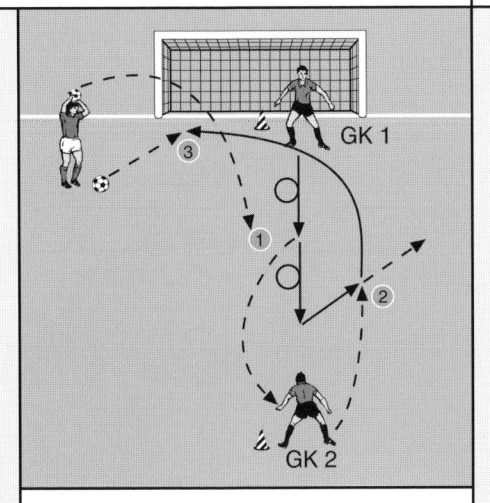

アドバイス
- 基本練習 3A と同じ。

基本練習 3C

コーチとゴールキーパー 3 人で練習します。大ゴールを向かい合わせて置きます。20m×15m のフィールドを作り、コーンでマークします。GK1 と 2 はゴールの中に入り、GK3 とコーチがボールを持って、フィールドの外の左右に入ります。3 は 1 のゴール前にハイボールを出します。1 はこれをキャッチし、反対サイドのコーチにスローイングします。コーチは 2 のゴール前にハイボールを出します。2 はこれをキャッチし、反対サイドの 3 にスローイングします。また最初から開始します。

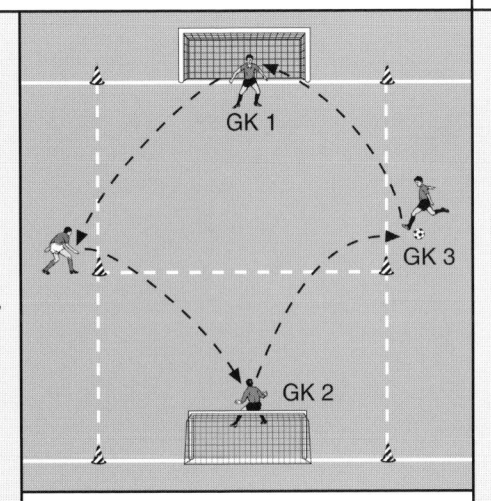

アドバイス
- 数回行ったら、ポジションと役割を交代します。

バリエーション
1. GK1 がキャッチしコーチに投げた後、コーチはもう 1 度ハイボールを投げ返します。GK はそれぞれ順番で、左サイドからと右サイドからのハイボールをキャッチします。
2. コーチと GK3 は、キック、ボレー、ドロップキックでゴール前に出します。

グラウンダーのボールに対するフォーリングとサイドのローリング

テクニックとコーディネーション

基本練習 1A

コーンA〜Dで四角形を作ります（距離は3m）。ゴールキーパーはコーンBの左横に立ちます。コーチはボールを持って、四角形の5m外に立ちます。コーチの合図でGKはコーンCへ走ります。外側を戻り、コーンBを回ります。次に、コーチがAに出すグラウンダーにダイブします。

練習を最初から開始します。次に、GKがコーンAの右横に立ちます。

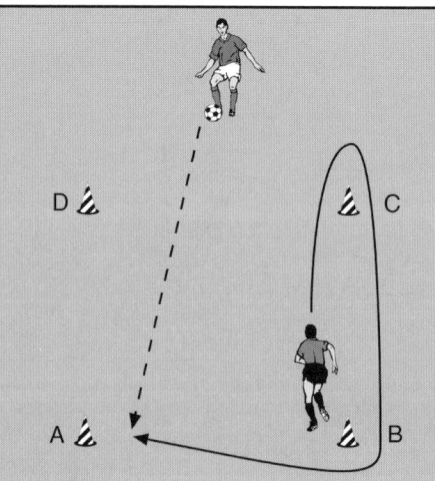

ポイント
- 腰、体側、肩へ、ローリングします。
- 両手をボールに伸ばします。
- 片手をボールの後ろ、もう片方の手をボールの上か後ろに置きます。

バリエーション

1. GKは前転から開始します。
2. バックのコースの最初に後転をします。
3. GKは、最初に四角形の中央でコーチのほうを向いて腹ばいになります。コーチの合図で（腕を右に挙げたらコーンB）指示されたコーンを回り、コーチからのグラウンダーのボールにダイブします。コーチがコーンAを回ったら、コーチはコーンBの方向にグラウンダーを出します。Bを回ったらAの方向に出します。

基本練習 1B

基本練習1Aと同じオーガナイズ。ゴールキーパーはコーンCの右横に立ちます。コーチはボールを持って四角形のグリッドの4m外に立ちます。GKはまず右サイドに出されたボールにダイブし、横になった体勢のままコーチにボールを返し、立ち上がります。コーンBを回り、コーンCの方向に前転をして、立ち上がります。コーチはボールをグリッドに投げ入れ、GKは地面に触れる前にそれをキャッチします。続けて、左サイドに出されたグラウンダーにダイブします。

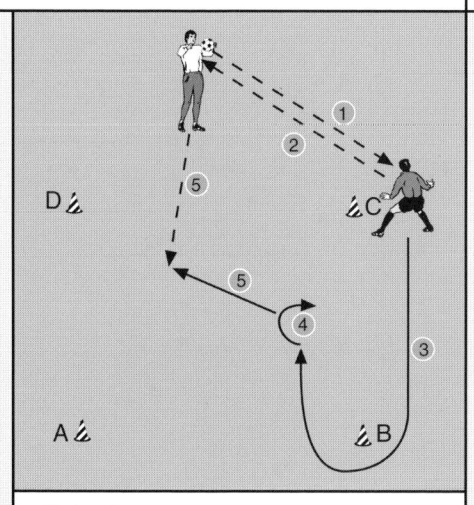

ポイント
- 基本練習1Aと同じ。

バリエーション
1. コーチがボールをGKのサイドに高く投げ、GKはこれをキャッチします。
2. コーンBを回った後、GKは後転をします（前転の代わりに）。続いて、コーチがボールをライナーでGKの左サイドに投げます。

複数のゴールキーパーでテクニック練習

基本練習 2A

GK1は、コーンゴールA（6m幅）に入ります。その4m前にコーンゴールB（2m幅）を作ります。その5m前にGK2がボールを持って入ります。コーチはボールを持って、コーンゴールBの4m横に入ります。コーチの合図でGK1はゴールBの方向に走ります。GK2はグラウンダーでボールをゴールBの間を通して、GK1にパスします。GK1は左あるいは右足のインサイドで1タッチでゴールBを通して、GK2に返します。GK1はコーチのほうを向き、コーチがゴールAの方向にグラウンダーで出すボールにダイブします。

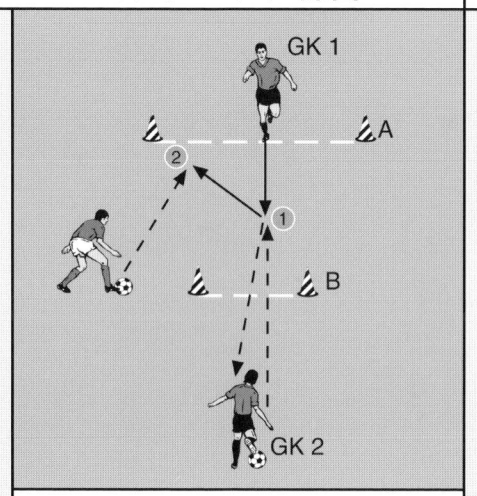

アドバイス
- 両サイドともトレーニングします。複数回行ったら、ポジションと役割を交代します。
- 常にボールを注視します。

バリエーション
1. GK1は、前転をしてからゴールBに走ります。
2. GK1がGK2にグラウンダーを返したら、すぐに後転をして、それからコーチの出すグラウンダーにダイブします。
3. コーチはまず初めにGK1にグラウンダーを出して、GK1が右か左のインサイドで1タッチで返します。それから上に書いた練習のとおり進行します。

基本練習2B

コーンAからCで三角形を作ります（1辺3m）。各コーンにゴールキーパーが1人ずつ入ります（GK1がA、GK2がB、GK3がC）。1はボールを手に持ちます。3はボールを足元に持ちます。合図で1はボールを空中に高く投げ上げます。同時に3はグラウンダーでコーンBにボールを出します。2はコーンAにスタートし、1が出したボールをキャッチします。1はコーンBにスタートし、3からのグラウンダーにダイブします。2はキャッチしたボールを空中に投げ上げ、コーンCにスタートします。1は自分のボールをBからグラウンダーで、Cに出します。2はボールにダイブし、3はコーンAのところでハイボールをキャッチします。以下同様に続けます。

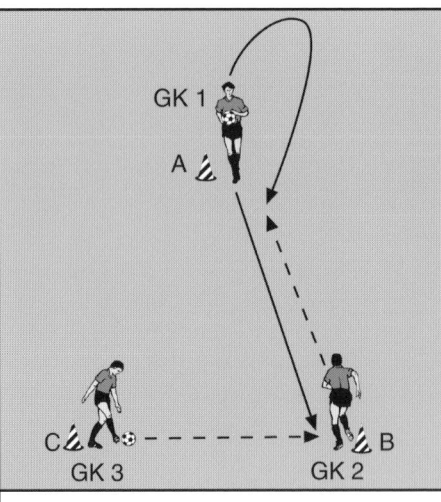

アドバイス
- ぶつからないように、あらかじめ走るコースを決めておきます。
- 「方向変換」の合図で、反対方向にプレーを続けます。

バリエーション
1. ボールを空中に投げ上げる代わりに、地面に力強く弾ませます。
2. グラウンダーにダイブする前に前転をします。グラウンダーを出すのを少し遅らせます。

基本練習2C

5m幅のコーンゴールを8mの距離で向かい合わせて作ります。ゴールキーパー1〜4（全員がボールを持つ）のうち、GK1と3が自分のゴールの左のコーンの方向を向いて腹ばいの体勢になります。GK2がボールを持って1の後ろ、4がボールを持って3の後ろに入ります。コーチの合図で、2と4がボールをパートナーの下を通して向かいのコーンゴールの方向に出します。すぐに1と3はボールの方向にスタートし、ダイブします（左サイド）。2と4は反対の「ポスト」に移り、また最初から開始します。

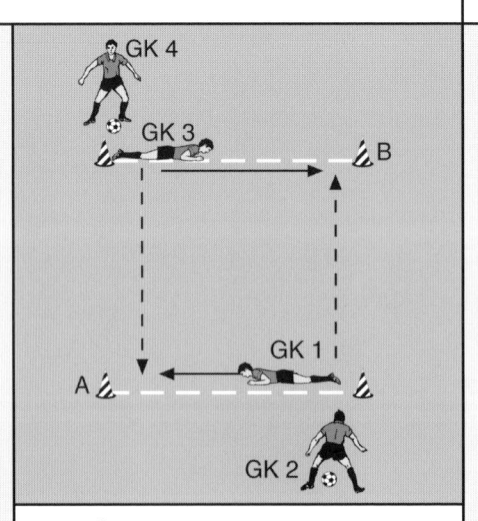

アドバイス
- 数回行ったら、役割とポジションを交代します。

バリエーション
GK1と3は、反対のコーンゴールのほうを向いて腹ばいになります。GK2と4はボールを持って、1と3のすぐ右横に立ちます。コーチの合図で、2と4はボールをグラウンダーで反対のコーンゴールの方向に出します。1と3はこのボールにスタートし、左サイドにダイブします。

ゴールを使った練習形式

基本練習3A

2人のゴールキーパーとコーチで練習します。大ゴールの右と左に5m幅のコーンゴールA、Bを作ります。それと並行にペナルティエリアの高さに、コーンゴールCとDを作ります。CとDの中にボールを1個ずつ置きます。CとDの間にGK2が腹ばいになります。その3m横にコーンを1個置きます。GK1がゴールに入ります。コーチはボールを持って、その5m前中央に入ります。コーチはボールをグラウンダーでGK1の右または左サイドに出します。1がボールにダイブしたら、2がすぐに立ち上がり、コーンを回ってCまたはDのボールを取って、インステップでシュートします。

アドバイス
- シュートが決まるか、一定回数行ったら、役割とポジションを交代します。

バリエーション

1. GK1がゴールAの中で腕立ての体勢をとります（頭を大ゴールに向けます）。GK2はゴールDの中で腕立ての体勢をとります。コーチの合図でGK1は起き上がり、コーチがゴールに出すグラウンダーにスタートし、左サイドにダイブし、横になった状態でボールを転がして返し、立ち上がります。同時に、GK2が腕立ての体勢からスタートし、Cにあるボールにスタートします。左足のインステップでGK1が守るゴールにシュートをねらいます。

練習を最初から開始します。GK1は今度はゴールBの中で腕立ての体勢になります。コーチが右サイドに出すグラウンダーのボールにダイブします。GK2はゴールCの中で腕立ての体勢になり、Dの中のボールにスタートします。

基本練習3B

基本練習3Aと同じ。GK1は、コーンゴールAの中で右のコーンに足をつけて腹ばいになります。GK2は、同様にゴールBに入ります。コーチはボールを持って、ゴールBの4m前に入ります。コーチの合図でGK1と2は立ち上がります。2はコーチが左サイドに出すグラウンダーにダイブします。1は自分のコーンゴールの左のコーンを回ってから、大ゴールに入り、2がうつシュートに備えます。2は立ち上がり、ボールを自分の前に転がし、右足のインステップでシュートします。

アドバイス
- 基本練習3Aと同じ。
- コーンゴールAとC、BとDを替えながらトレーニングします。

バリエーション

1. GKは膝立ち、両手を後ろに組んだ体勢からスタートします。
2. 2人のGKは、スタートで自分のゴールの右のコーンを回ってから、同様に行います。

グラウンダー、ライナー、ハイボールに対するダイビング、ジャンプ、およびサイドのローリング

テクニックおよびコーディネーション

基本練習1A

　7m幅のコーンゴールの中央に、コーンを1列に置きます。ゴールキーパーは、コーンの列の左に、コーチのほうを向いて腕立ての体勢になります。コーチはボールを持ち、列の3m前に入ります。GKは腕立ての体勢から、コーンの列を跳び越えてコーチが投げるライナー（ハイボール）にジャンプします。次に、コーンの列に右で腕立ての体勢になり、コーンの列を跳び越えて、コーチが投げるライナー（ハイボール）にジャンプします。

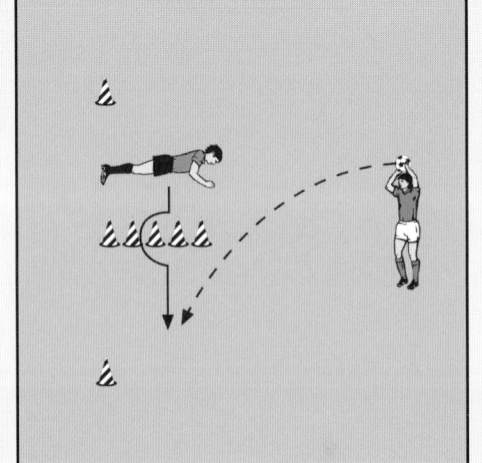

アドバイス
- 2×3回のコーンの列を越えたジャンプを1セットとします。GKがボールにジャンプする前に、1、2、3回腕立ての体勢になります。

バリエーション

1. GKは、今度はコーンの列のほうを向いて腕立ての体勢になります。腕立ての体勢から立ち上がり、バックランニングで後ろのポストを回り、コーンの列を跳び越えてボールにジャンプします。

2. GKはコーンの列の左横に立ちます。コーチの合図で、コーンの列を跳び越えてコーチが出したグラウンダーを右足のインサイドで返し、右の「ポスト」にタッチして、列を跳び越えてコーチが投げたボールに反応します。

U-16, U-18　7章

基本練習1B

6m幅のコーンゴールのゴールラインに交差させてコーンの列を作ります。ゴールキーパーがその列の最初のコーンのところで腕立ての体勢になります。コーチはボールを持って、最後のコーンから3mの位置に入ります。GKは列を越えて、横にコーチの方向に動きます。コーチの「前」の合図で肩から前転し、立ち上がって、ゴールの右の「ゴールポスト」にタッチし、コーンの列を越えてコーチが出したボールに飛び込みます。「後ろ」のコールではった体勢から力強く立ち上がり、バックランニングで左のポストを回り、前にスタートして列を越えてボールに飛び込みます。

バリエーション

GKは、「後ろ」のコールの際にまず後転をします。

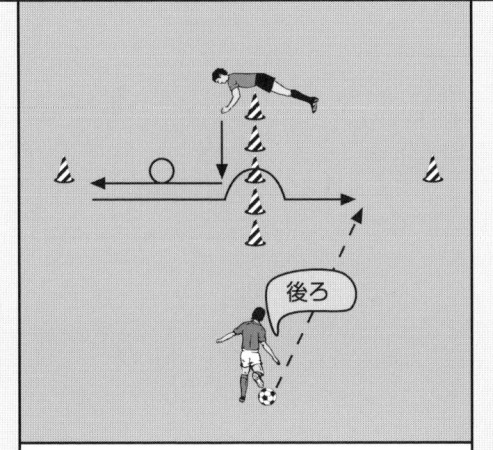

ポイント

- 腕を有効に使う。
- 踏み切り足に体重をかける。
- 踏み切り足で力強く踏み切る（接地は短く）。
- ボールに対し直線的に加速。

複数のゴールキーパーでテクニック練習

基本練習2A

2人のゴールキーパーとコーチでトレーニングします。GK1はコーンの列の横に座ります。その3m左にもう1個コーンを置きます。その4m前にGK2がボールを持って入ります。コーチはボールを持って、コーンの列の右斜め前2mの位置に入ります。コーチの合図で、1は後転をして立ち上がります。2が1にグラウンダーを出します。1はこれを右のインサイドで受け、持ち出して、左足のインサイドで2にパスを返します。1は左のコーンにタッチして、列を跳び越え、コーチの出すボールに飛び込みます。

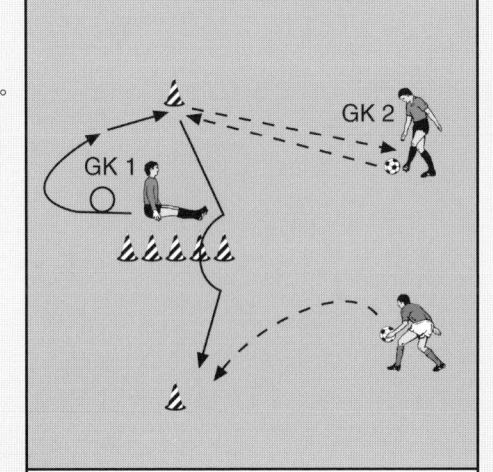

アドバイス

- 数回行ったら、ポジションと役割を交代します。

バリエーション

1．GK2がボールを2個持ちます。2はまず1に投げ、GK1はこれをキャッチし、両手にボールを持って後ろに転がり、ボールを頭の後ろに置き、再び前に起き、立ち上がります。2は2個めのボールを、グラウンダーで1の左横に出します。1はこれをサイドにディフレクティングし、立ち上がり、コーンの列を跳び越えて、コーチの出すボールに対応します。

2．GK2はボールを1個持ち、他はバリエーション1と同様です。GK1はキャッチしたボールを頭の後ろに置くのではなく、ボールを持って前転します。転がりながらボールを2に投げ、立ち上がります。2はボールを1に投げ、1はこれを左足のボレーで返します。今度は2は列を跳び越え、ボールに向かいます。

基本練習2B

基本練習2Aと同じ。GK1はコーンの列の左に腹ばいになります。足をGK2の方向に向けます。2はボールを持って、1の4m前に入ります。コーチはボールを持って、コーンの列の右斜め前2mの位置に入ります。合図で1は立ち上がり、走ってコーンの列を回り込んでコーチの方向へ向かいます。1がコーンの高さまで来たら、コーチはグラウンダーを出します。1はそれを右足のインサイドで返します。次に、コーンの列を跳び越え、2が投げるボールに飛び込みます。

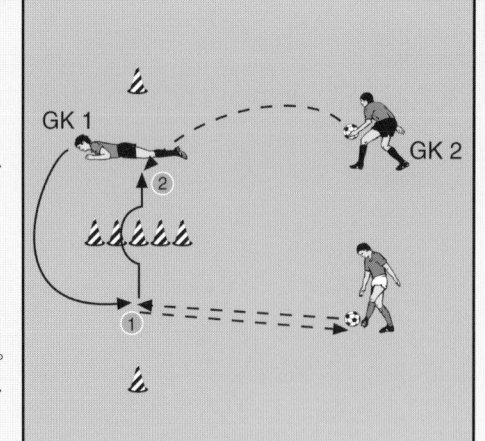

バリエーション

コーチの合図で、GK1は左に回り、立ち上がります。GK2はグラウンダーを出し、GK1がこれを左足のインサイドで返します。次に、GK1はバックランニングとフロントランニングで列の最後のコーンを回ります。最後のコーンの高さまで来たら、コーチはグラウンダーのパスを出します。GK1はこれを右足のインサイドで返し、コーンの列を跳び越えて、GK2の出すボールに向かいます。

ポイントとアドバイス

- 数回行ったら、ポジションと役割を交代します。
- ボールに向かって、短く力強く踏み切ります。
- 直線的にボールに跳びます。

ゴールを使った練習フォーム

基本練習3A

大ゴールの前中央に、複数のコーンを1列に並べます。GK1は、その列の左に立ちます。GK2は、ボールを持ってGK1の4m前に立ちます。コーチはボールを持って、列の右後ろに入ります。GK1は、GK2からのグラウンダーのボールを左足のインサイドで返し、コーンの列を跳び越えて、コーチが投げるボールにダイブします。次に、コーチが出すグラウンダーを右足のインサイドで返し、コーンの列を跳び越えて、GK2が投げるボールにダイブします。

バリエーション

1. GK2は、GK1にライナーを投げます。GK1はこれをボレーで返してから、コーンの列を跳び越えて、ボールにジャンプします。
2. GK2は、GK1にハイボールを投げます。GK1はこれを胸／膝で受けて、ボレーで返してから、コーンの列を跳び越えます。

ポイントとアドバイス

- 基本練習2Bと同じ。
- ジャンプ1回ごとに、間に休憩を入れます。

U-16, U-18　7章

基本練習 3B

コーチはボールを持って、GK1から見て、コーンの列の右斜め前に入ります。GK1はコーンの列の左に入ります。GK2はボールを持って、その4m前に入ります。GK2は、GK1がダイビングから右足で返すか、サイドにディフレクティングできるようなボールを出します。次に、GKは立ち上がり、コーチのほうへターンして、コーンの列を跳び越えて、コーチの出すライナー（ハイボール）に向かいます。

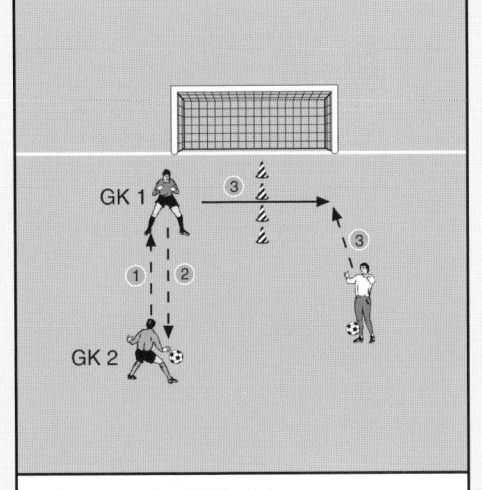

ポイントとアドバイス
- 基本練習2Bと同じ。

基本練習 3C

ゴールキーパーは、大ゴールの右ポストの左横に入ります。その左に3個のコーンを1m間隔で置きます。コーチがボールを持って、ゴールの5m前に入ります。GKは、両足ジャンプでコーンを横にジグザグでジャンプして列を越え、コーチが左サイドに投げるボールにダイブします。

ポイント
- 両足ジャンプの際に、力強く踏み切ります。
- 短いサイドステップからボールにジャンプします。

バリエーション
GKはコーチの正面に立ち、コーンの列を前向き／後ろ向きで細かいステップで走り抜けます。

183

ハイボールへのダイビング、ディフレクティング、後方へのフォーリング

テクニックおよびコーディネーション

基本練習1

ゴールキーパーは大ゴール前7mの位置に立ちます。コーチはボールをいくつか持って、その前に立ちます。コーチはGKがゴールを越えてディフレクティングできるようなハイボールを投げます。GKは、ボールを右手でゴールを越えてディフレクティングします。

ポイント
- ボールを注視します。
- ゴール／ボール方向へ素速くターンします。
- ボールに向かって、最後の1歩は大きく出します。

バリエーション

1. コーチは、GKが少し走ってからゴールを越えてディフレクティングするようなボールを出します。ランニングから前転をします。

2. コーチは、GKにジャンプをしなくてはならないようなボールを出します。

複数のゴールキーパーでテクニック練習

基本練習 2A

2人のゴールキーパーとコーチでトレーニングします。GK1は地面に座ります。コーチはボールを持ってその3m前に立ちます。GK2は、ボールを持たずに3m後ろに立ちます。コーチはボールをGK1に投げます。GK1は斜め後方に倒れながら、そのボールを右手でGK2に送ります（その際、GK1は右手でプレーします。「第2章ゴールキーパー・テクニック」の関連項目を参照してください）。GK2はこのボールをキャッチしてコーチに投げ返します。また最初から行います。今度は、GK1が左手でGK2に送ります。

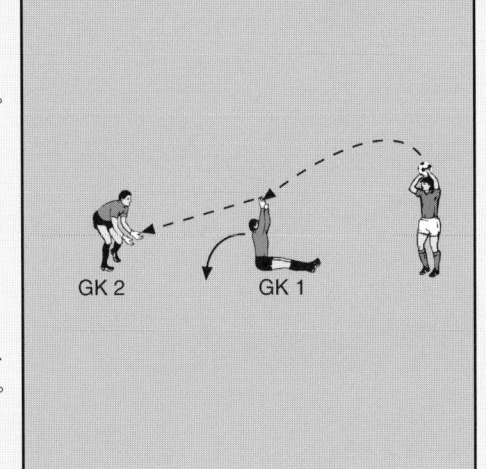

アドバイス

- 数回行ったら、ポジションと役割を交代します。

バリエーション

1. GK1は立ち上がり、コーチ、GK2との距離を広げます。コーチはGK1に高いボールを投げ、GK1は立ったところから、右（左）手でGK2に送ります。
2. 距離をさらに広げます。コーチはGK1に高いボールを投げ、GK1は斜め後方に倒れながらGK2に送ります。
3. GK1は前転をして、自分の前に置いてあるコーンにタッチし、斜め後方に倒れながらGK2に送ります。

基本練習 2B

2人のゴールキーパーとコーチでトレーニングします。GK1は、7m幅ゴールの真中に座ります。コーチはボールを2個持って、その5m前に立ちます。GK2はボールを持たず、5m後ろに立ちます。コーチがGK1に高いボールを投げます。GK1はそれを右（左）手でGK2に送り、素早く立ち上がって、コーチからの右（左）サイドへのグラウンダーのボールにダイブします。

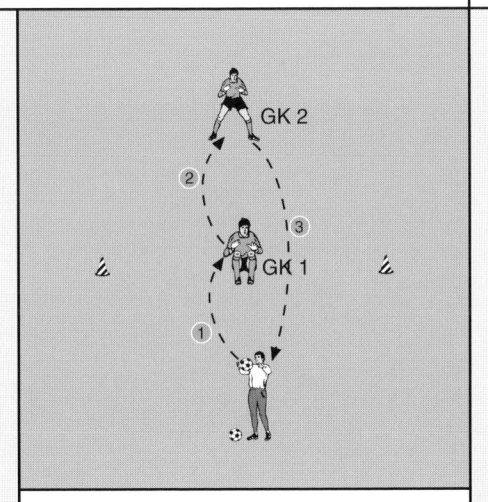

アドバイス

- 基本練習2Aと同じ。

基本練習2C

基本練習2Bと同じ。ただし今度は、GK1がゴールの中で立ちます。

コーチはGK1の前にハイボールを投げ、GK1はそれをジャンプして両手のフィスティングでコーチに返します。すぐにコーンゴールの方向に後転をして、素速く立ち上がり、コーチが投げる2個めのボールを、斜め後方に倒れこみながら、右（左）手でGK2に弾いて送ります。

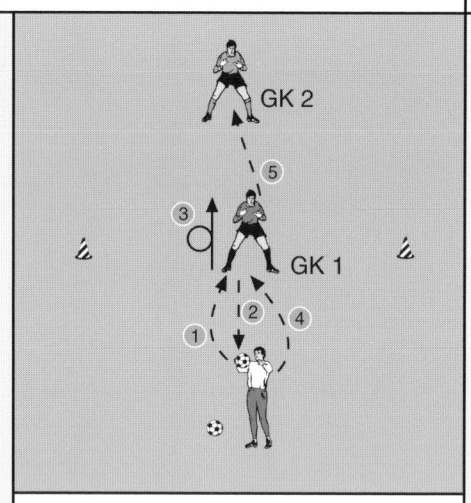

バリエーション

GK1は、コーチに背を向けて立ちます。コーチの合図で後転をして、立ち上がってコーチのほうを向きます。コーチはGK1に向かってハイボールを投げ、GK1はそれを斜め後方に倒れ込みながら、右（左）手でGK2に弾いて送ります。

アドバイス
- 数回行ったら、ポジションと役割を交代します。

ゴールを使った練習

基本練習3A

2人のゴールキーパー（1と2）とコーチでトレーニングをします。GK1が大ゴールの中に入ります。GK1の左斜め前6mの位置にコーンを置きます。GK2は右横に入ります。コーチはボールをいくつか持って、ゴール前10mの位置に入ります。コーチの合図でGK1は前転をし、コーンにタッチして身体ごと右を向きます。1がコーンにタッチしたら、コーチは1に対しゴールの右隅の方向にハイボールを投げます。1はゴール方向にスタートし、ジャンプをしながら左手でゴールを越えてGK2に向けて弾きます。

バリエーション

GK1はゴールの5m前からスタートします。コーチはボールをいくつか持って、GK1の5m前に立ちます。GK2はゴールの裏に入ります。コーチはグラウンダーを1の左サイドに出します。1はこれにダイブして、横になった体勢でコーチにボールを投げ返し、立ち上がります。コーチはボールを、1を越えてゴール方向に投げます。1はボールにスタートし、左手でゴールを越えてGK2に向けて弾きます。元の体勢に戻り、コーチは1の右サイドにグラウンダーを出します。今度は、同じ経過から右手でボールを弾きます。

アドバイス
- 複数回行ったら、GK1と2で交代します。2人とも行ったら、今度はコーンを右斜め前に置き、右手で練習します。

U-16, U-18　7章

基本練習 3B
2人のゴールキーパーとコーチでトレーニングします。GK1は大ゴールの右ポストに立ち、コーチはボールを持って、ゴールの6m前に入ります。GK2はボールを持たずに、左ポストの左横に入ります。コーチの合図でGK1は左に270度ターンをして、コーチがゴールの左隅に投げるハイボールに対してスタートします。ジャンプしながら、ボールを右手でゴールを越えてGK2へ弾きます。

バリエーション
GK1はコーチに背を向けて、ゴールの右ポストの横に入ります。コーチの合図で右回りでターンして、コーチがゴールの左隅に投げるボールにスタートします。

アドバイス
- 数回行ったら、GKを交代します。2人とも行ったら、コーチが右隅に投げます（左手でディフレクティングします）。

基本練習 3C
GK1は大ゴールの中に立ちます。コーチはボールをいくつか持って、その6m前に入ります。GK2はボールを持たずに、左ポストの左横に入ります。コーチが1個めのボールを、ゴールの左ポストめがけてグラウンダーで出します。GK1はボールにスタートし、スライディングで右足でGK2に出し、素速く立ち上がって、コーチが右サイドに出す2個めのグラウンダーにスタートします。サイドにダイビングをし、サイドにディフレクティングで弾き出し、向きを変えて、コーチがゴールの左隅に出す3個めのボールにスタートします。これを右手でGK2にディフレクティングします。

バリエーション
1. コーチは1本めのボールを、左のポストめがけてライナーで出します。GK1は、これをGK2にボレーでプレーします。
2. コーチは1本めのボールを、左のゴールポストめがけてハイボールで出します。GK1は、これをGK2にヘディングします。

アドバイス
- 数回行ったら、ポジションと役割を交代します。

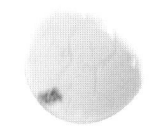

ジャンプしながらのディフレクティング（フィスティング）・テクニック

テクニックとコーディネーション

基本練習 1A

2人のゴールキーパーとコーチでトレーニングします。GK1はコーンゴール（幅5m）の中に立ちます。コーチはボールを持って、その10m前に立ちます。GK2はゴールの後ろで待機します。コーチはGK1にハイボールを投げ、1はそのボールをその位置で両手のフィスティングでコーチに返します。

次にGK1と2が交代し、また最初から行います。

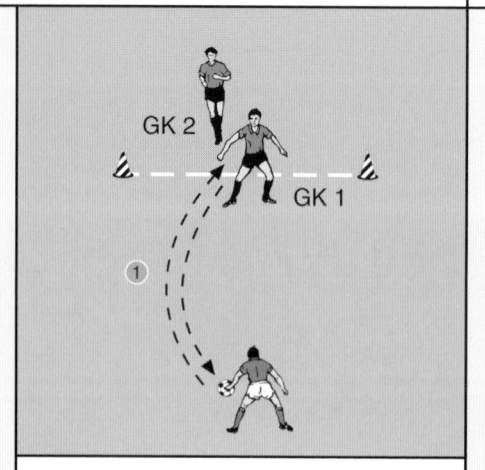

ねらい

- ボールに近いほうの足で片足ジャンプ：ボールが右から来たら右足で、左から来たら左足で。
- 地面を力強く蹴ってジャンプします。反対の脚の膝と腕の反動を使います。

バリエーション

1. コーチはGK2にハイボールを投げ、GK2がジャンプから両手のフィスティングで返します。次に交代して、また最初から行います。

2. コーチの合図でGK2は後転をし、立ち上がって、コーチが投げるハイボールをジャンプから両手のフィスティングでコーチに返します。GK1と交代し、また最初から行います。パートナーは軽くプレッシャーをかける相手選手の役割を果たします。

基本練習1B

2人のゴールキーパーとコーチでトレーニングします。GK2は5m幅のコーンゴールの間に入ります。GK1はGK2の4m前に入ります。コーチはボールを持って、その10m前に入ります。

コーチの合図で、GK2は前転をし、立ち上がって、コーチが投げるハイボールをジャンプして両手のフィスティングでコーチに返します。GK1は軽くプレッシャーをかける相手選手の役割を果たします。GK1と役割を交代し、また最初から行います。

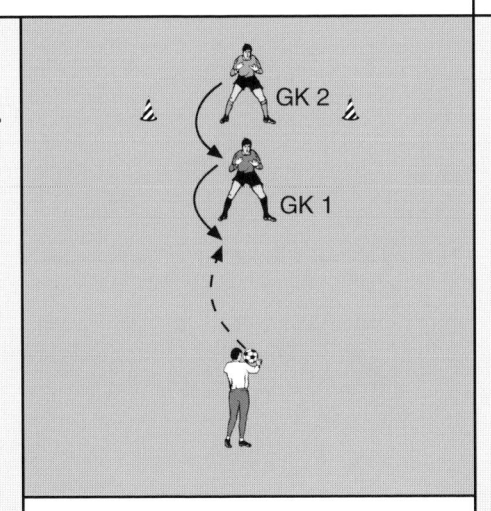

ねらい
- 基本練習1Aと同じ。

バリエーション
GK1は馬跳びの馬の体勢になります。GK2はそれを跳び越して、コーチが投げるハイボールをジャンプして両手のフィスティングでコーチに返します。次に、走ってGK1の後ろに戻り、また最初から行います。

複数のゴールキーパーでテクニック練習

基本練習2A

コーン3個で、1辺10mの三角形を作ります。各コーンのところにゴールキーパーが1人ずつ入ります。GK1がボールを持ちます。GK1が2にハイボールを投げます。GK2は3のほうを向き、両手でそのボールをフィスティングします。GK3はそれをキャッチし、1にハイボールを投げます。1は2のほうを向き、両手でそのボールをフィスティングします。以下同様に続けます。

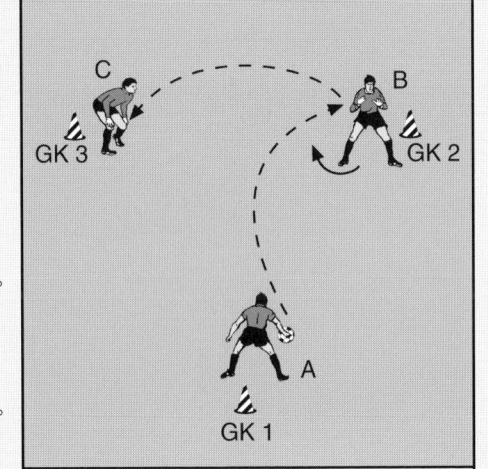

アドバイス
- 数回行ったら、ジャンプでフィスティングをします。

バリエーション
1. コーチの合図でプレー方向を変えます。
2. 1人のGK（2）が練習し、残りの2人（1と3）はボール出しをします。1は2にハイボールを投げ、2はジャンプして両手のフィスティングで1に返します。2は3のほうを向き、3が出すハイボールをジャンプして両手のフィスティングで3に返します。

数回行ったら、GK2は他のGKと交代します。

基本練習2B

コーン3個で、1辺10 mの三角形を作ります。各コーンのところにゴールキーパーが1人ずつ入ります。GK1がボールを持ちます。GK1が2にハイボールを投げます。GK2はジャンプで両手で3にフィスティングします。GK3はそれをキャッチします。また最初から行います。

数回行ったら、役割を交代します。

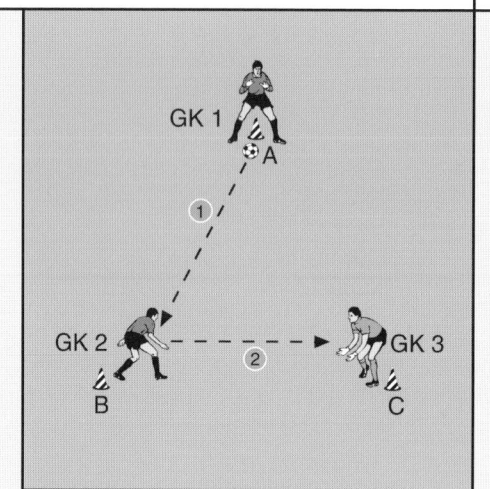

ポイント
- 素速く、ただし完全に、肘を伸ばします。斜め下への動きから上中央へ、ボールを最高ポイントでとらえます。

バリエーション
1. GK1はボールを足で持ちます。3はボールを両手に持ちます。1は2にグラウンダーを出し、2はそのボールを右足のインサイドで返します。次に3のほうを向き、3が投げるハイボールを両手でジャンプしながらフィスティングで返します。数回行ったら、役割を交代します。
2. GK1は2にライナーを投げ、2は右足のボレーで返します。

ゴールを使った練習フォーム

基本練習3A

3人のゴールキーパーとコーチでトレーニングをします。GK1は大ゴールに入ります。コーチはボールを持ち、1の右斜め前15 mの位置に入ります。GK2はボールを持たず中央に、GK3はボールを持ってゴールの左前に立ちます。コーチが1にハイボールを投げます。1はジャンプして両手で2に向かってフィスティングをします。2はそれをキャッチし、1にハイボールを投げます。1はそれを両手のフィスティングでコーチに返します。次に3がサイドのポジションから1にハイボールを投げます。1はそれを両手のフィスティングで2にフィスティングをします。2はそれをキャッチし、再び1に投げます。1はそれを両手で3にフィスティングします。また最初から行います。

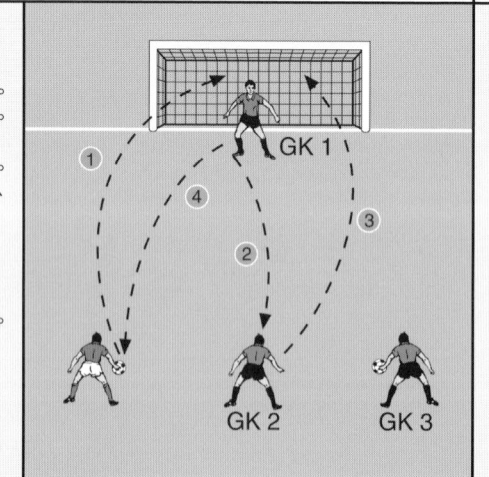

アドバイス
- 数回行ったら、ポジションと役割を交代します。

バリエーション

GK2がボールを持ち、コーチとGK1と3は持ちません。2が1にハイボールを投げます。1は左手でコーチにフィスティングします。コーチはそれをキャッチし、1にハイボールを投げます。1は両手で2にフィスティングします。2はそれをキャッチし、再び1に投げます。1はそれを右手で3にフィスティングします。3はそれをキャッチし、1に投げます。1は両手で2にフィスティングします。またGK2から開始します。

U-16, U-18　7章

基本練習 3B

　基本練習3Aと同じオーガナイズです。今度は、GK2と3がボールを1個ずつ持ちます。2はグラウンダーを1の左サイドに出します。1はそのボールにダイブし、横になった体勢のまま、2に投げ返します。1は立ち上がり、コーチがサイドから出すハイボールを両手でフィスティングで返します。次に、ゴールの中で再び基本姿勢をとります。2はグラウンダーを1の右サイドに出します。以下、同様に最初から行います。今度はGK3がハイボールを投げ、それを1がフィスティングで返します。以下同様に続けます。

バリエーション

　GK2はGK1の右足にグラウンダーを出します。1は右足のインサイドでグラウンダーで返します。3が1にハイボールを投げます。1は左手でコーチにフィスティングで送ります。今度は、GK2が1の左足にグラウンダーを出します。1はそれを返し、コーチがサイドから投げるハイボールを右手のフィスティングで3に送ります。

アドバイス
- 基本練習3Aと同じ。

基本練習 3C

　3人のゴールキーパーとコーチで練習します。GK1は大ゴールに立ちます。コーチはボールを持ち、左斜め前15mの位置に入ります。GK3はボールを持たず、右斜め前に入ります。GK2はゴール前中央の8m辺りを動きます。
　コーチはサイドのポジションからゴール前にハイボールを投げます。2はそれを左手のフィスティングで3に送ります。2は最初は1の妨害をしません。今度は、3がサイドからゴール前にハイボールを投げます。1はそれを右手のフィスティングでコーチに送ります。以下同様に続けます。

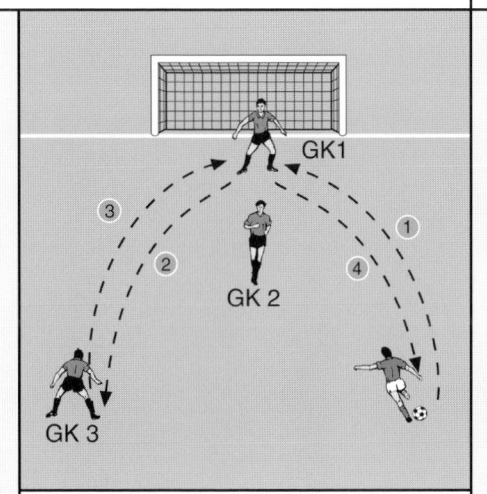

バリエーション

　GK2は、コーチとGK3からのハイボールに対し、ヘディングで対応します。

アドバイス
- 基本練習3Aと同じ。

スローイング、キック、ボレーキック、ドロップキック

スローイング、キック、ボレーキック、ドロップキックの最も重要な目的：味方のボール保持にもち込むこと。

テクニックおよびコーディネーション

基本練習 1

ゴールキーパーの 5 m 前にハードルを置きます。その前に 5 m 幅のコーンゴールを作ります。コーチはゴールの 10 m 後ろに入ります。GK はコーチにドロップキックを蹴ります。次にハードルを跳び越し、コーチが左右どちらかのサイドに出すグラウンダーにダイブします。GK は、ボールがゴールラインを越す前にボールに触ります。

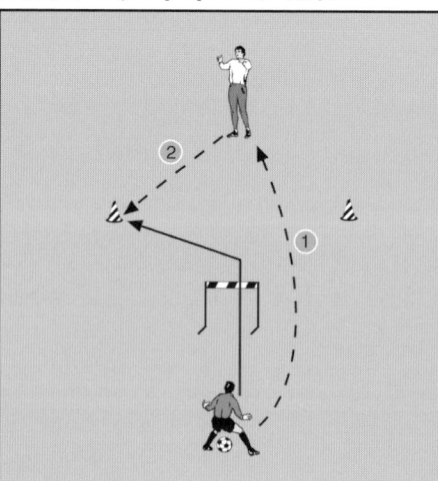

アドバイス

- テクニックを独立させて取り出した練習は、この年代では、基本的な欠点を修正する場合のみとします。

バリエーション

GK からコーチへのボールは、スローイングとします。

複数のゴールキーパーでテクニック練習

基本練習2A

3人のゴールキーパー（1はボールあり、2と3はボールなし）で練習します。GK1は5m幅のコーンゴールの中に入ります。GK2は1の約10m前に入り、GK3は2の10m後ろに入ります。1は2にドロップキックを蹴ります。2はそれをキャッチし、ドロップキックで返します。次に、1は3にドロップキックを蹴り、2とポジションを交代します。3はこのボールをキャッチし、1にドロップキックを蹴ります。1はこれをキャッチし、3にドロップキックで返します。3は2にドロップキックを蹴り、1とポジションを交代します。2はこのボールをキャッチし、3にドロップキックを蹴ります。3はこれをキャッチし、ドロップキックで返します。2は1にドロップキックを蹴り、3とポジションを交代します。以下同様に続けます。

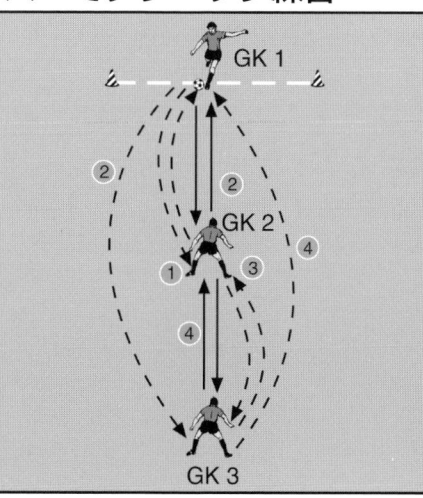

ポイント
- ボールを身体の前でキャッチします。
- 足関節を固定し、つま先を下に伸ばします。

バリエーション
1. GK1は2に手からのボレーキックでハイボールを蹴ります。2はこれをキャッチし、スローイングで返します。次に、このボールを手からのボレーキックで3に出し、2とポジションを交代します。3はこのハイボールをキャッチし、ボレーで返します。1はボールをキャッチし、3にスローイングで返します。3はこのボールをボレーキックで2に出し、1とポジションを交代します。以下同様に続けます。
2. 1と同じ。距離を広げ、ポジションチェンジなしで行います。

基本練習2B

基本練習2Aと同じ。今度は、GK2がゴールの20m前、GK3はさらにそこから20mの位置に入ります。

GK1はインステップキックで正確にGK3をねらって蹴り、すぐに2とポジションを交代します。3はボールをバックパスとして受けます。3は正確なインステップで2に蹴り、1とポジションを交代します。以下同様に続けます。

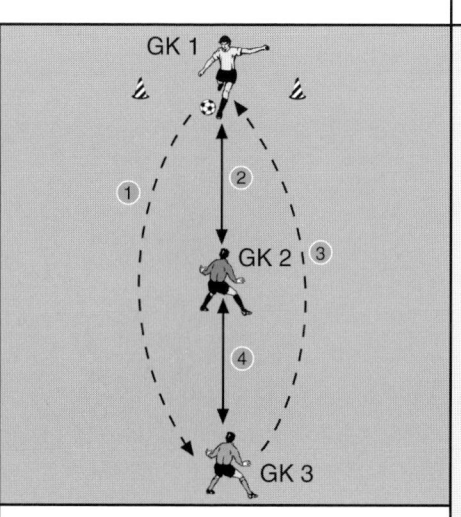

アドバイス
- この練習はGK4人で行うこともできます（負荷が低くなります）。

基本練習2C

4人のゴールキーパーで練習します。各自6m幅のコーンゴール（A〜D）に入ります。ゴールAとB、CとDはそれぞれ40mの距離で向かい合わせに作ります。GK1はゴールAで、ボールを1個持ちます。GK3はゴールCでボールを1個持ちます。

2人は同時にボールをドロップキックで自分の正面のゴールに蹴ります。BとDでそれぞれのGKがそれを受け、同様にドロップキックで返します。

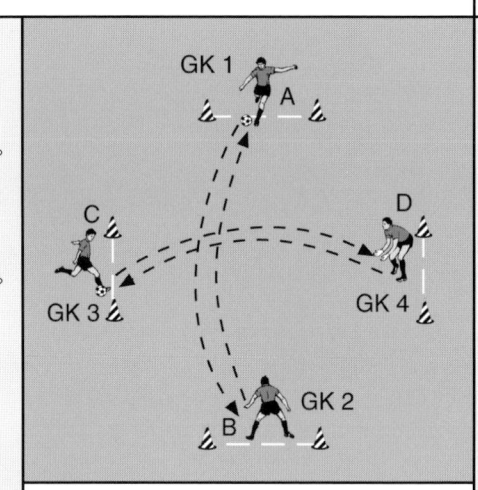

ポイント
- ボールを身体の前でキャッチします。
- 足関節を固定し、つま先を下に伸ばします。
- 立ち足のつま先を、プレーする方向に向けます。

バリエーション
1. 正確なボレーキックにします。
2. キックし、バックパスとして受けます。
3. GK全員がボールを持ちます。全員が同時にパートナーにキックします。

ゴールを使った練習フォーム

基本練習3A

2人のゴールキーパーとコーチでトレーニングします。GK1は大ゴールに入ります。GK2はボールを持たずに、ハーフラインの高さに入ります。コーチはボールを持って、ゴールの左斜め前25mの距離に入ります。1はゴールエリアのラインからキックを2に蹴ります。2はこのボールを空中でキャッチします。今度はコーチがゴール前にハイボールを出します。1はこれをキャッチし、コーチに投げ返します。今度は2が自分のボールで、ドロップキックでゴール前にハイボールを出します。1はこれをキャッチし、再びゴールエリアのラインに置きます。また最初から行います。

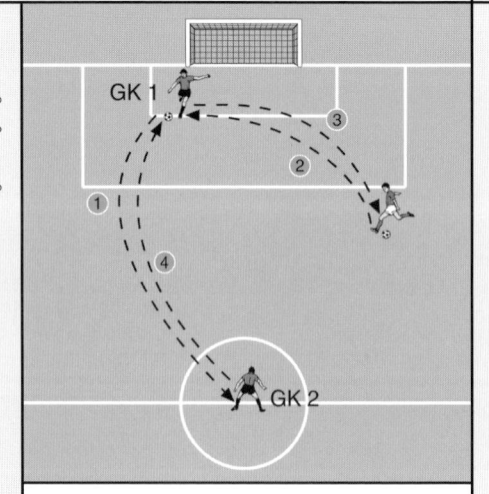

アドバイス
- 数回行ったら、GKはポジションを交代します。2人とも行ったら、コーチがサイドを変え、またGK1がゴール前から行います。

バリエーション

GK2はゴール前約35mの位置に入ります。コーチはゴール前中央約20mの距離に入ります。2人ともボールは持ちません。GK1はキックで2にハイボールを蹴ります。2はこのボールをバックパスとして受け、ゴール前から正確なインステップキックを蹴ります。1はこのボールを両手のフィスティングでコーチに出します。コーチは1に対しインステップキックでシュートをねらいます。再び1から2へのキックから開始します。

U-16, U-18　7章

基本練習 3B

　2人のゴールキーパーとコーチでトレーニングします。GK1は大ゴールに入ります。GK2はボールを持たず、1の左斜め前約35mの距離に入ります。コーチはボールを2個持って、ゴール前25mの位置に入ります。コーチは1個目のボールをゴール前に高く投げます。1はこれをキャッチし、2にスローイングします。

　コーチが2個めのボールを、1の頭越しにゴール方向に投げます。1はボールにスタートし、右あるいは左手でディフレクティングし、ゴールの横または上に出します。次に、2が1から受けたボールをインステップでコーチに返します。

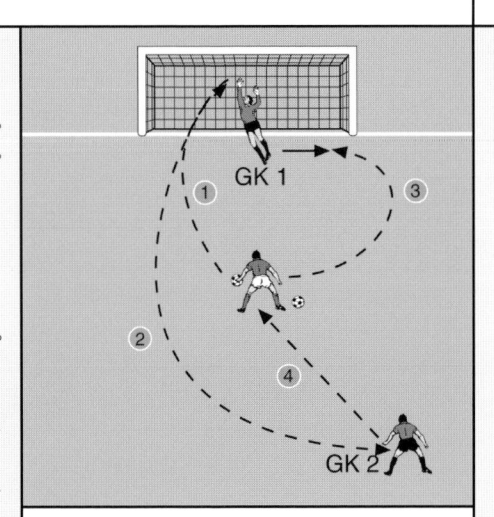

アドバイス

- 数回行ったら、GKはポジションを交代します。2人とも行ったら、GK2が位置を替えます。

基本練習 3C

　ゴールキーパー3人とコーチでトレーニングします。GK1は大ゴールに入ります。GK2と3はボールを持ってそれぞれペナルティエリアの左右に入ります。コーチはボールを持ってゴール前16mの位置に入ります。2はまずドロップキックでゴールにハイボールを蹴ります。1はこれをキャッチして、ドロップキックで返します。今度は、コーチがゴール前にハイボールを蹴ります。1はこれをキャッチし、コーチに投げ返します。今度は3がドロップキックでゴール前にハイボールを出します。1はこれをキャッチし、同様にドロップキックで3に返します。以下同様に続けます。

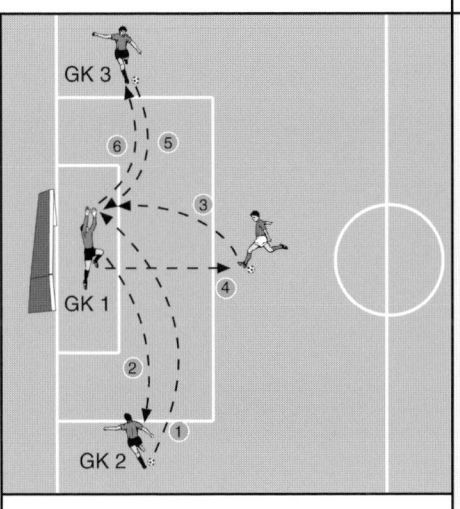

アドバイス

- 数回行ったら、GK1と他のGKがポジションを交代します。

バリエーション

　GK2と3は、キックでゴール前にハイボールを蹴ります。GK1はこれをキャッチし、正確にキッカーに返します。

トレーニング・セッション例

テクニックの習得

オーガナイズ上のアドバイス
時間：70〜80分間
人数：3〜4人
用具：ボール10個、コーンあるいはマーカー、大ゴール2個（あるいは大ゴールと5m幅のゴールまたはフラッグゴール）

テーマ：
- 正面からのライナーのボールのキャッチ
- クロスのハイボールのキャッチ
- 正面からのハイボールのキャッチ
- グラウンダーのボールに対し、フォーリング、サイドのローリング
- グラウンダー、ライナー、ハイボールに対するダイビング、ジャンピングとサイドのローリング
- ジャンプのディフレクティング
- フィールドプレーヤーの技術：時間と相手のプレッシャーがかかる中でバックパスを受ける（確実なプレーの組み立て）。

ウォームアップ
- ボールなしのコーディネーション・ランニングフォーム
- ボールあり、コーチありでコーディネーション・ランニング

時間：15〜20分

正面からのライナーのキャッチ

練 習
　4人で練習します。2人がコーンのゴールに入り、ドロップキックでパスをします。他の2人はボールを使ってコーディネーション・ランニングを行います。一定回数走ったら、課題を交代します。

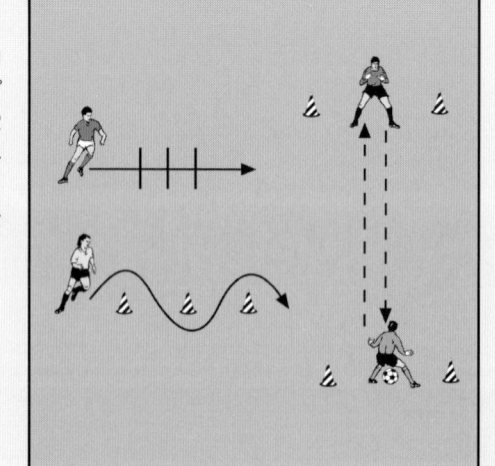

アドバイス
- 正面からのライナーのボールのキャッチは、通常ウォームアップの中で練習します。
- この練習は3人で行うこともできます。

グラウンダーのボールに対するフォーリング、ローリング

練習

GK1は、大ゴールに入ります。GK2は、左（右）のポストに入ります。コーチの合図で、1は2の方向へ肩から前転をし、2の手にタッチし、すぐにコーチが反対方向に出すグラウンダーに対応します。

アドバイス
- 3回行ったら交代します。
- 3人以上で行う場合、毎回交代します。

ダイビング、サイドのローリング

練習

GK1は大ゴールに入ります。GK2は左のポスト、コーチはボールを持ってゴール前正面に入ります。コーチがボールをバウンドさせて、1の左サイドに出します。1はこのボールを左手で2にディフレクティングし、反対方向にターンして、コーチが右サイドに出す2本めのボールにジャンプします。

ポイント
- 立ち足で力強く踏み切ります（接地時間を短く）。
- ボールに向かって直線的に加速。
- ボールに対し直接短いコースで向かいます。
- ボールを空中でキャッチし身体に確保。

バリエーション

ボールをバウンドさせず、グラウンダーで出します。

ジャンプしてのディフレクティング・テクニック

練 習

　ゴールキーパーは大ゴールに入ります。コーチはボールをいくつか持って、ゴール前正面6mの位置に入ります。コーチは1個めのボールをグラウンダーで右のコーナーに蹴ります。GKはダイブしてボールに対応します。コーチが2個めのボールをGKの頭越しに投げます。GKは1個めのダイブの後、すぐに立ち上がり、2個めのボールを右手でディフレクティングをしてゴールの上を越えさせます。

アドバイス

- GKは、肘からの力を使ってボールをディフレクティングしゴールを越えさせます。

テクニックの習得（トレーニング・セッションの第2部）

クロスボール

- P.183の練習を参照。
- P.194、195の練習を参照。

正面からのハイボールのキャッチ

- P.199練習1を参照。

フィールドプレーヤーのテクニック

時間と相手のプレッシャーの中でバックパスを受ける（確実なプレーの組み立て）。

- P.199練習2を参照。

時間と相手のプレッシャーのかかる中でバックパスされたボールを確実に処理するテクニックの習得は、チーム・トレーニングあるいはフィールドプレーヤーとの特別トレーニングの中で、ゲームに近い形で習得します。

時間：25分間

ゴールを使ったモチベーション・フォーム

練習1

　ゴールキーパーは大ゴールに入ります。20mの距離に、コーチがボールをいくつか持って入ります。コーチの左右にはターゲットとなるゴールを作ります。40mの距離に5mゴールを作り、GKが入ります（ターゲット1）。30mの距離にフラッグゴールを作り、GKが入ります（ターゲット2）。コーチの合図でGKは前転をし、コーチが出すハイボールをキャッチします。前転の間にコーチが指定したターゲットへボールを出します。ターゲット1へはドロップキック、ターゲット2へはスローイングで出します。

ポイント
- スローイングの際には、手をできるだけ長くボールに添えておくようにします。
- ドロップキックの際、出そうとするボールの球質（グラウンダー、ライナー、ハイボール）によって、上体の姿勢を変えます。

アドバイス
　この2つのモチベーション・フォームは、合わせて約20分間かかります。

練習2

　20mの距離で2個の大ゴールを向かい合わせて置き、GK1と2がそれぞれに入ります。2つめのゴールの後方約20mの距離にGK3が入ります。GK3がキックで1に蹴ります。1はそれをバックパスとして受け、2つめのゴールにいる2にパスします。2は、このボールをインステップで1タッチで1のゴールにシュートします。

アドバイス
- 数回行ったら、ポジションを交代します。

バリエーション
　GK3からは正確なドロップキック（スローイング）をします。GK1は同様にドロップキック（スローイング）をGK2に蹴ります。GK2は、ドロップキック（スローイング）でゴールをねらいます。

※この2つのモチベーション・フォームは、合わせて約20分間かかります。

CHAPTER 8 トレーニング用具

リバウンドネットを用いた練習フォーム

　リバウンドネットは、非常に有用な用具ですが、残念ながらあまり安価ではありません。しかし、ゴールキーパーを最適に育成するうえで、非常に役立ちます。もしもクラブで経済的に入手が可能であれば、トライしてみるとよいでしょう。大きなスポーツ用品メーカーであれば、リバウンドネットもカタログにあるでしょう。

　リバウンドネットを使用した練習の際には、以下のポイントに注意します。
- ゴールキーパーは、方向づけのために常に固定したポイントをもつべきです。フリーのスペースではなく、大ゴールあるいはコーンゴールを置いて行うようにします。

　はね返ってくるボールの速度とコースは、以下の要素によって決まります。
- リバウンドネットからの距離
- ボールが入る角度（リバウンドネットの角度）
- スローイングの仕方（上からまたは下から）
- スローイングの強さ
- コーチの設定

全般的テクニック練習

練習1
　2人のゴールキーパーで練習します。2人は7m幅のコーンゴールに入ります。5m前にリバウンドネットを置きます。GK1がネットにボールを投げ、後ろからGK2がスタートします。2ははね返ってくるボールを胸でストップしキャッチします。次は、GK2がネットにボールを投げ、後ろからGK1がスタートします。1はボールを胸でストップしキャッチします。以下同様に続けます。

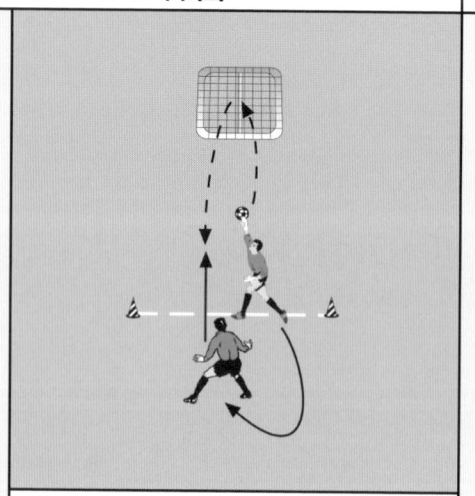

ねらいとポイント
- フィールドプレーヤーの全般的技術の習得。
- ボールを素速く身体に引き入れます。

バリエーション
1. はね返ってくるボールを胸でストップし、ももで空中に蹴り上げてからキャッチします。
2. GK2はGK1に背を向けて立ちます。合図を出すと同時に、ボールをネットに投げます。GK2は素速くターンして、はね返ってくるボールを胸でストップします。
3. GK2は、腹ばいからスタートします（またはあおむけ、腕立て）。

トレーニング用具　8章

練習2

複数のゴールキーパーで練習します。全員がボールを持ちます。7m幅のコーンゴールの中央に立ち、その5m前にリバウンドネットを置きます。ボールを片手のアンダーハンドでネットに投げ、そのボールを受けて、右または左にドリブルでネットを回り、再び行います。

バリエーション

1. GKは、素速く1回転してからボールを受けます（ネットからの距離は広げなくてはなりません）。
2. GKはネットに背を向けて立ち、コーチの合図でボールを両脚の間からネットに投げ、素速くターンして跳ね返ってくるボールを受けます。
3. コーチがボールを投げます（GKはさまざまな体勢からスタートします－腹ばい、あおむけ、腕立て等）。

ねらいとポイント

- 全般的なフィールドプレーヤーのテクニックの習得。
- 両方の足でドリブルします。インサイドとアウトサイドを使ってドリブルします。

練習3

ネットをゴールキーパーの斜め前に置きます。大ゴールの右30mの距離に5m幅のコーンゴールを置きます。GKはボールを投げ、はね返ってきたボールをできるだけ早く受け、正確なグラウンダーのパスでコーンゴールを通します。

バリエーション

1. ターゲットゴールへ浮き球を蹴ります。
2. ターゲットゴールへボレーで蹴ります。
3. コーチがボールを投げます（GKはさまざまな体勢からスタートします－腹ばい、あおむけ、腕立て等）。

ねらいとポイント

- 全般的なフィールドプレーヤーのテクニックの習得。
- 集中して、正確にボールを受けてパス。

練習 4

　ゴールキーパーは大ゴールに入り、ネットを斜め前に置きます。20 mの距離に大ゴールをもう1つ置き、GK2が入ります。GK1が自分のボールをネットに投げ、はね返ってきたボールをできるだけ早く受け、ターンして2つめのゴールにシュートをねらいます。シュートが決まったら、役割を交代します。

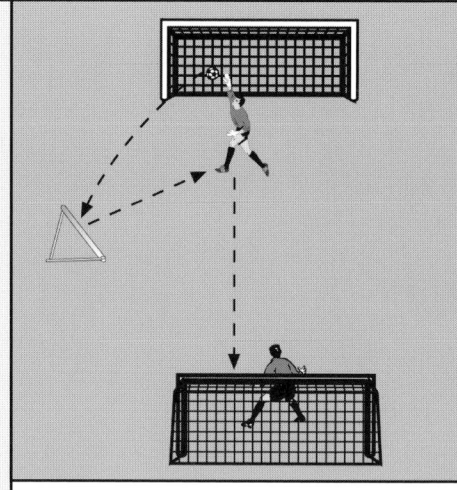

ねらい
- 全般的なフィールドプレーヤーのテクニックの習得。
- ゴールへ正確なインステップキック。

バリエーション
1. GKは2つめのゴールに向けて、1対1を仕掛けます。
2. GKは跳ね返ってきたボールを、1タッチで相手GKに蹴ります。相手はこれを受け、正確なインステップキックでゴールをねらいます。

練習 5

　2人のゴールキーパーで練習します。GK1は大ゴールに入ります。GK2はボールを持って、16 m前中央のネットの前に、大ゴールに背を向けて立ちます。GK2はボールをネットに力強く投げ、素速くGK1の方向にターンします。1はこのボールを受け、正確に2にパスします。2はこれを1タッチでシュートします。

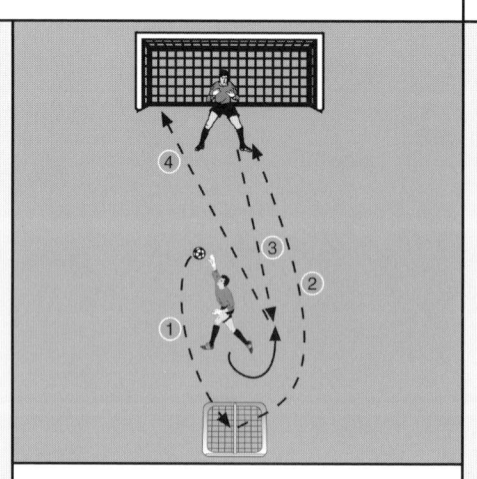

ねらいとアドバイス
- 全般的なフィールドプレーヤーのテクニックの習得。
- ボールを素速く受けます。
- 正確なパス。
- ゴールへねらいをもったインステップキック。

バリエーション
1. GK1は、はね返ってきたボールを1タッチでGK2にパスします。
2. ネットをGK2の正面ではなく斜めに置きます。

ゴールキーパー・テクニックの練習フォーム

以下に挙げるゴールキーパー専門的テクニックは、リバウンドネットを活用して習得することができます。

- 基本姿勢
- 基本姿勢＝テクニック
- アンダーハンドスロー
- オーバーハンドスロー
- 正面からとサイドからとの、グラウンダー、ライナーのボールの処理、キャッチ
- サイドからのハイボールのキャッチ
- 正面からのハイボールのキャッチ
- グラウンダーのボールに対し、フォーリング、サイドのローリング
- グラウンダー、ライナー、ハイボールに対するダイビング、ジャンピング、サイドのローリング
- ハイボールに対するダイビング、後方へのフォーリング
- ジャンプしながらのディフレクティング・テクニック

以下、基本練習を紹介します。年齢、パフォーマンスレベル、トレーニング目標に応じてバリエーションをつけることができます。

全般的テクニック練習

練習1
ゴールキーパーはボールを持って、5m幅のコーンゴールに立ちます。その約4～5m前にリバウンドネットを置きます。ネットの角度とポジションは、練習の間さまざまに変えていきます。
GKは片手でアンダーハンドでボールをネットに投げ、はね返ってくるグラウンダーのボールを正面でキャッチします。

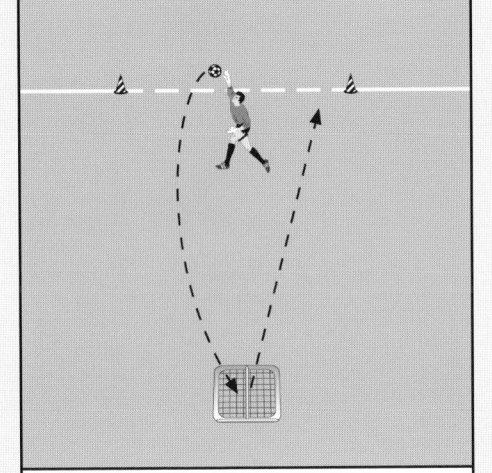

アドバイス
- ボールを、右足を前、左足を前でそれぞれキャッチします。

バリエーション
1. リバウンドネットをゴール前の横に置き、GKがサイドからのグラウンダーのボールをキャッチするようにします。
2. ボールをスローしたら、素速く1回転します。
3. GKは、腹ばいからスタートします。コーチがボールをネットに投げます。

練習2		バリエーション
2人のゴールキーパーが1つのゴール、あるいはコーンゴールで一緒に練習します。前にいるGK1はボールを持ちます。その5m前にリバウンドネットを置きます。アングルと位置は、練習の間さまざまに変えます。 　GK1はボールを両手で上からネットに投げ、ライナーが返ってくるようにします。ボールを投げたら素早くサイドに移動して、GK2がそのボールを身体でキャッチします。今度は役割を交代します。		1．GK1は最後の瞬間まで残り、GK2がボールを見るのを妨害します。 2．GK2は、GK1の隣に立ちます。GK2は素早いサイドステップでGK1の前に出てボールをキャッチします。 3．GK1と2は背中合わせに立ちます。GK1の合図でGK2はできるだけ早くGK1を回り、ゴールを背にして正面からのライナーをキャッチしようとします。
	ねらい ・基本テクニックである「基本姿勢」「上からのスロー」「正面およびサイドからのライナーおよびハイボールのキャッチ」「ジャンプしてのディフレクティング・テクニック」の習得。	

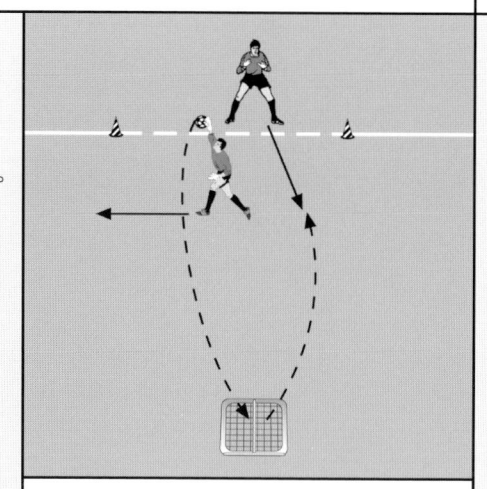

練習3		バリエーション
ゴールキーパーはボールを持ち、大ゴールの7m前正面に立ちます。その斜め前にリバウンドネットを置きます。GKはボールを片手（両手）でアンダーハンド（オーバーハンド）でネットに投げます。コーチはネットを動かしてはね返るボールをコントロールし、GKがサイドからのグラウンダーをキャッチするようにします。 　数回行ったら、サイドを替えます。		1．コーチははね返るボールをコントロールし、GKはライナーあるいはハイボールにダイビングしてセーブし、サイドにローリングするようなボールを出します。 2．GKは素早く1回転してから、ボールにダイブします。 3．GKはネットに背を向けて立ちます。両脚を広げ、その間からボールを投げてネットに当てます。素早くターンし、コーチがコントロールしたグラウンダーあるいはライナーのボールをキャッチします。
	ねらい ・「基本姿勢をとる」「グラウンダーのボールに対するフォーリング、サイドのフォーリング」「グラウンダー、ライナー、ハイボールに対するダイビング、サイドのローリング」「ジャンプしてのディフレクティング」のテクニックの習得。	

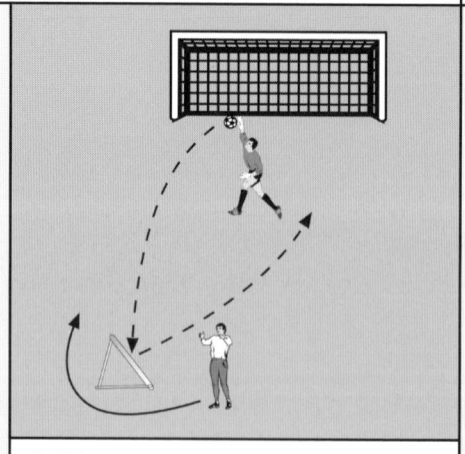

トレーニング用具 | 8章

JFA GK PROJECT　付録

日本のGK養成プロジェクト

　1998年8月、日本サッカー協会技術部内にゴールキーパー（以下GK）プロジェクトが設置されました。1998年は日本が初のワールドカップ（W杯）フランス大会出場を果たした年でした。しかし、その初のW杯で日本は1勝もできず、予選リーグ敗退となりました。W杯へ出場を果たした喜びも束の間、日本サッカーは次への大きな関門を突破するために、各方面での見直しを図ることとなりました。

　GKプロジェクトの発足は、その一環として日本のGKの強化が急務であると捉えられ、当時技術委員で強化担当でもあった田嶋幸三氏（現専務理事）が中心となり、望月一瀬氏（広島）、小松義典氏（鹿島）、佐々木理氏（柏）と私の4名でスタートしました。日本のGKを取り巻く環境はどうなっているのか？　また、そのトレーニングはどうか？　指導はどのようになされているのか？　GKコーチの存在はどうなのか？

　このような疑問にぶつかり、各方面の指導者の意見を聞くために、千葉で2泊3日のミニキャンプを行いました。参加者は、GKの経験のある指導者をはじめ、GK経験のない指導者、小・中・高・大学・社会人・プロレベルおよび女子の指導者など、指導対象の異なる多くの方々に出席いただき、前述の疑問をぶつけ合って検証していきました。

　その結果、GKプロジェクトでは3本の大きな柱を主目的として活動していくことが決定しました。「GKのタレント発掘と育成」、「各年代別代表GK選手の強化」、「GKの指導および指導者の養成」の3つが主要テーマとなりました

THEME 1　GKのタレント発掘と育成

　全国には才能があり、将来性のあるGK候補やGKが大勢います。しかし、その選手たちの多くが陽の目を見ず、中・高校の各大会において年間数試合の公式戦のみで姿を消すという現状がありました。また、何名かの機会に恵まれた選手が強豪校の中で各都道府県予選を勝ち上がり、多くの指導者の目に留まった選手が各地域のトレセン選抜選手に抜擢されるといった狭き門となっていました。

　しかしながら、各地域のトレセンGKとなっても、年に一度のナショナルトレセンへ参加できる選手は、全国9地域から各2名のGKしかいません。各県単位で選出されたGKは他に十数名も存在しているのです。

　私たちGKプロジェクトは、各地域に担当のGKトレセンコーチを配置して、地域のGK選手選考はもとより、トレセンを実際に訪問して選手を発掘し、また、トレーニングを実践して育成に直接関わるということに従事してきました。そしてその折、地域の指導者と交流を持って選手の情報などを把握し、現状のみではなく数年後の伸びしろを含めたGK選手の状況を想定して対策を練っています。

　ナショナルトレセンの場でも、私たちGKプロジェクトのメンバーが直接指導実践することで、各年代のGKの状況を把握し、各年代代表のGKの発掘および推薦を行っています。

THEME 2　各年代別代表GK選手の強化

　各地域トレセン、およびナショナルトレセンで活躍したGKや将来性のあるGKに対しては、各年代の代表活動に推薦して、国内合宿や国際大会への派遣を行っています。各年代の代表チームのGKコーチもGKプロジェクトのメンバーや地域担当GKトレセンコーチが担当して、同じベクトルの中でGKの育成、強化を推進しています。

　ここでのテーマは、各代表チームが国際大会に出場

した際に得た成果や課題を検証して、それぞれの年代に不可欠なスキルの習得や、諸外国のGKと比較した中での日本のGKの長所と課題を分類して取り組んでいます。そして、GKプロジェクトの研修会でそれぞれのGKコーチが持ち帰った成果と課題を検証してトレーニングに置き換える作業や実際の指導実践を繰り返し、新たなテーマとして各地域のトレセン活動やGK指導の現場へ戻していきます。

各大会で起きている現象やGK関連の問題については、常にアンテナを張り巡らし、各コーチ間の連携を持って、共有の問題として捉えて、GKの強化活動に役立てています。

THEME 3 GKの指導、および指導者の養成

日本のGKの育成と強化は、すなわちGK指導および指導者養成がすべてと言っても過言ではありません。よいGKを育てるには、よい指導者が必要です。こうした意味では、指導者にGKのことをよく知ってもらうしかありません。Jリーグがスタートする前の日本リーグ時代では、1980年代に入って外国人選手や外国人指導者が増えてきました。その頃のGKトレーニングは、GK経験者の経験則に基づいた指導が一般的で、そのクラブ、チームによってまちまちでした。当時はGKコーチといった専門のコーチがどのクラブにおいても不在で、GKのトレーニングの大半がGK同士で行っているか、特にやらないかの状態でした。また、海外からのGKコーチは、GKをチームから引き離し、トレーニングの7～8割をGKの技術、体力トレーニングにあてているといった状態でした。

1993年よりプロサッカーのJリーグがスタートして、各チームにGKコーチが設けられると、GKトレーニングはさらに分類化され、効率的な練習を行うチームもでてきました。

サッカーのルールが変わり、GKに求められるスキルの要素が多様化してきた現在では、プロになってから、その多くを身につけることは困難です。したがって、若年層の時から各年代で必要なGKのスキルを一環指導として身につけていくことが重要となります。その面から考えても、それぞれの年代を指導されている指導者がこのことをよく理解してGKの育成をしなければなりません。

私たちGKプロジェクトは、GKのための指導の教本やビデオを作成して、各指導者養成の場で講義や指導実践を実施しています。また2004年度からはGK指導の専門資格者養成コースも開設しています。

今後、GKプロジェクトをさらに発展、充実させていき、日本のGK育成と強化に対して、多くの指導者にご理解ならびにご協力をお願いしていきたいと考えております。

JFA GK PROJECT 　加藤好男

2005年6月に開催された「AFC（アジアサッカー連盟）ゴールキーパー・インストラクターコース」を受講。前列右端が加藤好男氏

［編著者紹介］

ペーター・グライバー（Peter Greiber）
　1995年より1.FCケルンにて指導、1998年よりユース部門の育成責任者。スポーツ教師およびA級指導者ライセンス保持者。

ロバート・フライス（Robert Freis）
　スポーツ教師およびA級指導者ライセンス保持者。ケルンで3年間ユースコーチとして指導。

［監訳者紹介］

加藤好男（かとうよしお）
　1957年生まれ。高校時代からGKとして活躍。大阪商業大学時代には全日本大学サッカー選手権など、多くの大学選手権で優勝に貢献。卒業後はサッカーの名門古河電気工業（株）入社、数々の優勝に貢献。また、全日本代表選手としてインターナショナルAマッチ10試合出場。Jリーグ発足後は東日本JR古河サッカークラブに入社、Jリーガーとして活躍。
　現役引退後は、英国国際コーチライセンスを取得し、指導者としてジェフユナイテッド市原・育成部コーチ、日本サッカー協会・GKプロジェクト/インストラクターを務める一方、サッカー協会U-20以下の各クラスで代表コーチを歴任。現在も日本代表コーチを務めている。日本サッカー協会公認S級コーチ。

［訳者紹介］

今井純子（いまいじゅんこ）
　筑波大学大学院博士課程文芸言語研究科単位取得卒業。在学中にダブリン大学に留学。
　現在、（財）日本サッカー協会技術部勤務。これまでに、サッカーやトレーニング関係を中心としたスポーツ図書の執筆および翻訳を数多く手がけている。

サッカーのゴールキーパー育成法［ジュニアからユースまで］
©Yoshio Kato & Junko Imai 2005　　　　NDC 783　207p　24cm

初版第1刷──2005年11月10日
　第4刷──2010年9月1日

著　者────ペーター・グライバー／ロバート・フライス
監訳者────加藤好男
訳　者────今井純子
発行者────鈴木一行
発行所────株式会社 大修館書店
　　　　　　〒101-8466　東京都千代田区神田錦町3-24
　　　　　　電話03-3295-6231（販売部）　03-3294-2358（編集部）
　　　　　　振替00190-7-40504
　　　　　　［出版情報］http://www.taishukan.co.jp

装丁・本文デザイン・DTP────齊藤和義
カバー写真────スタジオ・アウパ
印刷・製本────図書印刷株式会社

ISBN 978-4-469-26583-5　Printed in Japan
Ⓡ本書の全部または一部を無断で複写複製（コピー）することは、著作権法上での例外を除き禁じられています。